HIP

HOTEL D'AUTORE

ITALIA

HERBERT YPMA

ITALIA

256 pagine, 516 illustrazioni di cui 355 a colori

EditorialeDomus

introduzione

Che cosa ci invidiano all'estero del nostro Bel Paese? La splendida architettura e le città d'arte? Le incantevoli coste e il clima favorevole? Le imponenti montagne e le dolci colline? I pittoreschi paesini e gli immutati ambienti rurali? I vini e la buona cucina? Senz'altro, ma ciò che differenzia l'Italia dalle altre nazioni è la sua storia. Non si tratta di una serie di fatti codificati sulle pagine dei manuali scolastici, ma di un passato che ancora oggi influenza il nostro modo di vivere. A partire dalle grandi civiltà greche, etrusche e romane alle potenti città-stato che dominarono il panorama rinascimentale, per giungere infine ai grandi fermenti politici e ideologici del XX secolo, l'Italia ha costruito il proprio presente sulla base della cultura, dell'arte e delle consuetudini dei secoli predecenti. Nel nostro paese la storia si può vedere, toccare con mano e vivere in prima persona. Questo libro ne è la dimostrazione: in Italia, infatti, possiamo dormire in un ex fortino napoleonico; concederci il lusso di risiedere in un palazzo sulle colline toscane appartenuto a un pontefice; ripercorrere il cammino di Goethe alloggiando in un antico mulino a un passo da un tempietto paleocristiano, o essere ospitati nel duecentesco castello in cui un tempo i re normanni si dilettavano nella caccia con il falco. Grotte scavate nelle ripide pareti di pietra calcarea, villaggi di pescatori su isole vulcaniche, eleganti ville sulle rive dei laghi lombardi, palazzi veneziani, abbazie che si ergono sul mare, monasteri arroccati sulla scogliera – e persino un deposito minerario sardo – sono stati sapientemente convertiti in hotel dalla forte personalità, per offrirci la possibilità di vivere un'esperienza davvero unica. I fanatici del sole e della vita di mare potranno così scegliere tra la costa campana, le isole della Sicilia o del golfo di Napoli; il complesso disegnato da Gio Ponti sulla Costiera amalfitana soddisferà quanti amano l'architettura; l'albergo con vista su Stromboli, invece, entusiasmerà gli appassionati di vulcanologia. Soggiogati dal fascino delle mete esotiche, gli italiani spesso dimenticano che non è necessario traversare gli oceani per raggiungere il paradiso: basta un'ora e mezzo di volo per immergersi in acque pulite e cristalline, o un breve tragitto in automobile per ritrovarsi in una galleria d'arte all'aria aperta. Ricca di tesori artistici e di bellezze naturali, l'Italia è un paese che non si finisce mai di scoprire e che si apprezza ancor di più soggiornando in un albergo d'autore.

7

hotel signum

Se il film *Il postino* vi è rimasto nel cuore, difficilmente sfuggirete al fascino di questo luogo. La celebre pellicola del 1994 interpretata da Massimo Troisi e Philippe Noiret fu girata tra le isole di Procida e di Salina, proprio nei dintorni dell'hotel Signum. Salina è la seconda isola dell'arcipelago delle Eolie per estensione e numero di abitanti, ma è la più fertile, la più ricca di vegetazione e quella con i rilievi montuosi più elevati. I greci la chiamavano *Didyme*, "la doppia" o "Gemella", riferendosi proprio ai due antichi vulcani (rispettivamente di 860 e 962 metri) che si ergono sul mare ed è quasi certo che questi due monoliti, ben visibili dalla costa, siano gli stessi descritti da Omero nell'Odissea. L'isola affonda le sue radici in un lontano passato e fu colonizzata dai greci, dai cartaginesi, dai saraceni e persino dai normanni. A differenza delle altre isole del Mediterraneo, Salina è stata preservata dagli attacchi violenti del turismo; non esistono grandi complessi alberghieri e i suoi tre nuclei abitati sono rimasti immutati nei secoli. Al contempo l'isola appare come una grande riserva naturale incontaminata e immune da speculazioni edilizie. Ma tutto questo non è dovuto al caso. I 2500 abitanti di Salina si

sono adoperati per salvaguardarne le bellezze naturali evitando anche l'indiscriminato saccheggio di roccia lavica. Salina, come le altre isole dell'arcipelago, è di origine vulcanica e quindi la lava, peraltro molto richiesta per le sue diverse utilizzazioni, abbonda ovunque. Convinti che il paesaggio non debba essere deturpato, le autorità locali hanno vietato l'estrazione, cosicché il materiale lavico usato per costruire l'hotel Signum proviene direttamente dall'Etna. La proprietaria dell'albergo, Clara Rametta, si è impegnata in prima persona in questa battaglia e viene regolarmente consultata ogniqualvolta si trattano questioni che riguardano lo sviluppo turistico dell'isola. Se le camere del suo albergo sono tutte occupate, sarà lei stessa a trovarvi una stanza in paese o a suggerirvi soluzioni alternative. L'architettura locale vanta un proprio stile eoliano e Clara fa di tutto per preservarlo, impedendo che le nuove costruzioni sfuggano ai precisi canoni formali tradizionali che prevedono scale ad angolo retto, finestre squadrate o ad arco, e stretti cortili lastricati di pietra lavica, elementi raffigurati anche nella collezione di disegni realizzati da archeologi tedeschi alla metà dell'Ottocento che si può ammirare all'interno

Costruito nel tradizionale stile eoliano,
L'hotel Signum è curato in ogni
minimo particolare

Capperi e limoni abbondano a Salina,
l'isola più verde delle Eolie e ricca di
una superba vegetazione mediterranea

Da aprile a novembre gli ospiti possono
rilassarsi in terrazza di fronte
all'affascinante spettacolo del mare

L'hotel ripropone forme, proporzioni
e colori che sono caratteristici
dell'architettura eoliana

Dagli assolati vigneti dell'isola di
Salina si ricava la pregiata Malvasia,
un vino ricercato in tutto il mondo

Il cast de *Il postino* scelse di
soggiornare al Signum per la pace, il
carattere e la ricercatezza del luogo

dell'hotel. La piccola struttura alberghiera di Clara Rametta è un autentico saggio di maestria. Costruita rispecchiando fedelmente la tradizione architettonica eoliana − ci spiega orgogliosa la proprietaria − non propone un grande corpo unico, bensì stanze e spazi comuni ricavati in piccoli edifici separati, distribuiti nel verde e raggruppati in modo tale da rievocare la struttura tipica di un villaggio locale ed entrare così in piena sintonia con il paesaggio circostante, costellato di vigneti. Michele si occupa della cucina e Clara dell'amministrazione, del marketing e in generale della gestione dell'albergo. L'atmosfera che si respira all'hotel Signum è quella di una piccola comunità. Recentemente alcuni suoi conoscenti, proprietari di un'immobile sull'isola, hanno chiesto a Clara di seguirne i lavori di ristrutturazione ispirandosi allo stile del Signum: una bella soddisfazione per lei! Lungo il sentiero che conduce all'albergo sorgono oggi varie residenze realizzate in sintonia con l'albergo e la filosofia dei coniugi Rametta. Salina è ricca di una vegetazione tipicamente mediterranea: buganvillae e oleandri l'accendono di colori, l'acanto e il gelsomino prosperano rigogliosi per non parlare dei limoni, delle palme, dei pini e infine dei vigneti da cui si produce la superba Malvasia. Il cappero, arbusto diffusamente coltivato sull'isola, è la base della cucina locale. La cena, all'hotel Signum, inizia con un'insalata eoliana a base di pomodorini, patate, olive e capperi, prosegue con spaghetti aglio e olio arricchiti da un delizioso battuto di capperi, un trancio di pescespada marinato in olio, limone e... manco a dirlo, capperi a volontà. Salina è carica di fascino e d'atmosfera. Molti hanno deciso di approdarvi dopo aver visto *Il postino*, e l'isola ha offerto loro acque cristalline, una vegetazione lussurreggiante, una gustosa cucina e una popolazione locale dal cuore grande tra cui ricercare, con nostalgia, il compianto volto di un attore che rimarrà impresso per sempre nella nostra memoria.

indirizzo Hotel Signum, Via Scalo 15, Salina 98050, Isole Eolie
t +39 (090) 9844 222 **f** +39 (090) 9844 102 **e** salina@hotelsignum.it
tariffe a partire da 45 euro

hotel raya

Se non fosse stato per il Raya, credo che non mi sarei mai spinto fino a Panarea, una tra le isole più piccole dell'arcipelago delle Eolie, che non ha niente della bellezza di Salina o della drammaticità di Stromboli. Purtuttavia Panarea merita una visita anche perché in questo luogo sorge uno degli alberghi più incantevoli del Mediterraneo. D'un bianco abbagliante, il Raya è l'equivalente architettonico di un impeccabile abito di lino immacolato, elegante nella sua pristina semplicità e freschissimo al contatto con la pelle. Ravvivato da particolari quali una stravagante urna disposta ad arte o un'enorme conchiglia, secondo me il Raya corrisponde perfettamente all'immagine ideale dell'albergo che ci piacerebbe trovare su un'isola del Mediterraneo. In un luogo così elegante nella sua essenzialità basta mettere in valigia pochi indumenti per sentirsi a proprio agio: due paia di pantaloni di lino, uno bianco e uno nero, una camicia chiara, una maglietta scura e un costume. Ogni anno le pareti dell'albergo vengono rinfrescate e le mattonelle bianche del pavimento sostituite in presenza della benché minima scalfittura. L'hotel ha fatto propria la lezione del minimalismo: per ricreare un'atmosfera esclusiva, ogni dettaglio

deve essere sempre del tutto inappuntabile. Quando Myriam Beltrami e Paolo Tilche, una coppia giramondo animata da spirito d'avventura, sbarcò per la prima volta a Panarea negli anni Sessanta, l'isola languiva in una condizione di degrado. Gran parte della sua popolazione era emigrata e solo uno sparuto gruppo di famiglie continuava l'atavica lotta con il mare per la sopravvivenza. Per quanto riarso e derelitto, Myriam e Paolo intuirono le potenzialità di quel brandello di roccia vulcanica su cui regnava una natura selvaggia e impietosa; in quelle acque color verde smeraldo, tra le più cristalline di tutto il Mediterraneo, avrebbero potuto realizzare il loro sogno: nuotare, fare immersioni, pescare e vivere con semplicità. I Beltrami costruirono la propria casa in uno dei punti più spettacolari dell'isola, su uno sperone di roccia proprio di fronte al vulcano di Stromboli. Com'è facile supporre, nel giro di poco tempo gli amici fecero la coda per condividere quell'angolo di paradiso appena scoperto. Va detto che in quegli anni il traghetto attraccava a Panarea una volta ogni due settimane, condizioni atmosferiche permettendo, visto che l'isola è particolarmente esposta. L'esigenza di allestire nuove abitazioni per accogliere gli ospiti offrì

a Paolo l'occasione di mettere a frutto le nozioni di tecnica delle costruzioni apprese durante un'esperienza di lavoro sull'isola greca di Hydra. Lentamente, ma inesorabilmente, il progetto si trasformò in albergo e tutte le volte che potevano permetterselo, Paolo e Myriam aggiungevano una nuova costruzione all'edificio originario. Allo stesso tempo molti amici, letteralmente affascinati dallo stile semplice di vita sull'isola, chiesero alla coppia di trovare un pezzo di terra e di costruire loro delle case. Ben presto ne sorsero una trentina, ed è grazie ai Beltrami che Panarea può vantare oggi un'architettura coerente e culturalmente autentica. La lenta ma inesorabile trasformazione da scoglio semiabbandonato, popolato solo da qualche povero pescatore a luogo di villeggiatura esclusivo (peraltro privo di traffico perché a Panarea nessun mezzo motorizzato può circolare) era così iniziata. Inizialmente vi fu una certa ostilità da parte dei locali (la casa di Myriam e Paolo fu più volte data alle fiamme)

ma oggi il turismo "a numero chiuso" di Panarea è diventato oggetto d'invidia da parte di molti e in ogni modo ha fatto un gran bene a quest'angolo di mondo. Le residenze private prevalgono sull'isola e le strutture, tutte nel tradizionale stile eoliano, sono su scala ridotta. Ogni proprietà osserva inoltre un preciso impianto cromatico; le uniche tinte che contrastano con il bianco delle pareti sono l'azzurro polvere, un tenue giallo ocra e un rosa che sfuma verso il terracotta.
Panarea rispecchia in tutto e per tutto il modello classico dell'isola del Mediterraneo; vi ritroverete, infatti, lo stesso sole caldo di Malta, la bellezza selvaggia di Pantelleria, l'acqua verde smeraldo della Sardegna, le prelibatezze gastronomiche della Sicilia, lo stile di Capri, il biancore accecante di Mykonos. Per non parlare dello straordinario spettacolo naturale a cui potrete assistere ogni sera, cenando sulla bianca terrazza dell'hotel: la lava che fuoriesce dalla bocca del vulcano di Stromboli, proprio di là dal mare.

indirizzo Hotel Raya, Via San Pietro, 98050 Panarea, Isole Eolie

t +39 (090) 983013 **f** +39 (090) 983103 **e** info@hotelraya.it

tariffe a partire da 77 euro

le sirenuse

Secondo la mitologia greca le sirene di Li Galli, l'isolotto che affiora dal mare poco distante dalla costa di Positano, intonavano un canto così dolce che Ulisse obbligò i suoi marinai a tapparsi le orecchie e a legarlo all'albero maestro per non cadere preda della malia delle sirene e precipitare così nella follia. L'hotel Le Sirenuse non potrebbe avere nome più adeguato perché, come una sirena, ammalia i suoi ospiti. Una coppia di Los Angeles conosciuta a Positano mi raccontò la sua storia: i due si trovavano in Italia per la prima volta; dopo una tappa a Positano, avevano visitato Roma e la Toscana, dove avevano in programma di fermarsi per una settimana. Ma dopo un paio di giorni trascorsi in un agriturismo nelle colline senesi, avvertirono un irresistibile richiamo e dovettero tornare a Positano. La loro storia non è poi così singolare, perché nei secoli la Costiera amalfitana ha stregato più di un viaggiatore. Abbarbicato a una scogliera che affonda nelle acque calme del Mediterraneo, il villaggio di Positano sembra quasi sospeso a mezz'aria. Ingegnosamente scolpito nella roccia, gode di un'invidiabile posizione e quando appare dietro l'ultima svolta della tortuosa statale che corre lungo la costa, lascia tutti senza fiato. La manciata di casette color giallo, rosa, arancio e ocra che sembrano quasi precipitare in mare, collegate tra loro da rampe di gradini e vicoletti intagliati nella scogliera di roccia calcarea è talmente pittoresca da apparire irreale. Non pare vero che in un passato non tanto remoto Positano fosse solo un piccolo centro di pescatori e un luogo di villeggiatura per le famiglie nobili napoletane. Storicamente, la vicina Amalfi giocava un ruolo di gran lunga più importante, essendo ai tempi una delle più fiorenti città marinare. I suoi primi abitanti furono le popolazioni in fuga da Roma dopo la calata dei barbari, che vi si arroccarono cercando rifugio e protezione da eventuali attacchi. Questo tratto di costa lungo 50 chilometri circa e punteggiato di limoni che emanano un dolce profumo oggi non vive più di commercio, ma di turismo, e Positano ne è diventata la capitale. Per quanto si possa discutere su quale sia il miglior albergo del luogo, la scelta ricade quasi sempre tra Le Sirenuse e il San Pietro. La differenza tra i due hotel è data dalla loro posizione: il San Pietro è appollaiato in un punto della costa di fronte a Positano, mentre Le Sirenuse sorge proprio nel cuore del paese. Il San Pietro

Le stanze sul mare sono le più richieste. Scolpita nella roccia, Positano sembra sospesa a mezz'aria

Il sole penetra nelle stanze dell'hotel e le inonda di luce, svelandone lo stile informale e l'impeccabile eleganza

Le tele antiche rendono omaggio alla nobile famiglia Sersale che possiede e gestisce ancor oggi l'hotel

In inverno la colazione è servita in un salone adornato con tralci d'edera che offre un'incantevole vista di Positano

Questo settecentesco palazzo, un tempo residenza estiva dei Sersale, conserva ancor oggi una magica atmosfera

I pezzi d'antiquariato impreziosiscono l'hotel offrendo agli ospiti l'opportunità di un'esperienza aristocratica

è un edificio moderno e di grande impatto, Le Sirenuse viceversa è ospitato in un antico palazzo arredato con pezzi d'antiquariato. Per quanto mi riguarda opto senz'altro per Le Sirenuse, in quanto mi consente di immergermi nella vita locale che, in fondo, è una delle massime attrattive del luogo. La storia stessa dell'albergo offre spunti d'interesse. Costruito nel XVIII secolo come residenza privata del marchese Sersale, conserva ancor oggi l'atmosfera di una nobile residenza; quasi tutte le stanze si affacciano sul mare e lo charme aristocratico del luogo si armonizza perfettamente con lo stile di vita pacato e rilassato della Costiera amalfitana. La decisione di convertire la proprietà in albergo si deve al carismatico Aldo Sersale, l'ultimo marchese della famiglia scomparso nel 1997. Per una fortunata coincidenza, ciò avvenne negli anni in cui molti artisti d'oltreoceano avevano scoperto Positano e se ne erano innamorati. In una sequenza della pellicola cinematografica *Il Talento di Mr Ripley*,

John Steinbeck veniva accompagnato in questi luoghi dall'amico Moravia per scoprire la bellezza della Costiera e sfuggire alla calura di Roma. Lo scrittore descrive Positano come "un luogo che si può solo immaginare nei sogni e che non sembra reale finché non vi arrivi, anche se la sua profonda realtà ti colpisce solo quando te ne sei andato". Purtroppo la Positano di oggi non è più il rifugio di artisti e scrittori che è stata in passato, ma per fortuna l'albergo non ha perso nulla del suo antico stile: i corridoi conservano ancora le vecchie mappe incorniciate, gli spazi comuni sono abbelliti da pezzi d'antiquariato che appartenevano alla famiglia, il ristorante è sempre uno tra i più rinomati della zona e Antonio Sersale, nipote di Aldo, si occupa ancora della gestione dell'albergo insieme alla moglie Carla. Steinbeck non sbagliava affermando che il turismo non avrebbe mai rovinato Positano: la stretta strada che si arrampica fino al paese è un forte deterrente per i torpedoni dei viaggi organizzati.

indirizzo Le Sirenuse, Via Cristoforo Colombo 30, 84017 Positano, Costiera amalfitana

t +39 (089) 875 066 **f** +39 (089) 811 798 **e** info@sirenuse.it

tariffe a partire da 253 euro

villa cimbrone

Anche la gente del luogo concorda sul fatto che le località più suggestive della Costiera amalfitana sono Positano e Ravello. Amalfi, vi diranno, è troppo grande; Sorrento è troppo vicina a Napoli e Salerno è già una città, peraltro ormai distante dagli altri centri. Per quanto le si citi spesso insieme, le due cittadine differiscono l'una dall'altra come il giorno e la notte e sono molto più distanti di quanto possa sembrare sulla carta. La tortuosa strada statale che corre lungo la costa regalando al viaggiatore viste mozzafiato è una delle più spettacolari del mondo. Poco prima di raggiungere Amalfi comincia a salire sul serio e la costa, da frastagliata e punteggiata di piccoli centri abitati sospesi sul mare, si tramuta in veri picchi di granito con terrazze verdeggianti cesellate nella roccia. La temperatura si abbassa di qualche grado e le nubi scendono da un'altura all'altra creando straordinari giochi di luce. Appollaiato proprio in cima a questa stretta e tortuosa via si trova Ravello, un incantevole paesino composto di piccole piazze, vicoletti, ripide stradine e uno stile architettonico che risente delle influenze romane, bizantine e arabe. Dominato da una piazza lastricata che, a detta di molti, può essere considerata tra le più belle d'Italia,

Ravello non solo si avvicina al concetto di perfezione estetica, ma è un borgo di grande tranquillità visto che il traffico di auto e motorini è in gran parte vietato. Dalla piazza centrale un incantevole vicolo in pietra lavica sale fino a Villa Cimbrone. È una passeggiata di dieci minuti tra stradine e vialetti fiancheggiati da conventi e chiese. Oltre ad aumentare l'effetto sorpresa, questa breve fatica è anche un segno di democrazia nel senso che chiunque, ricco o povero, deve arrivare a Villa Cimbrone a piedi. (C'è però un servizio di facchinaggio nel caso in cui gli ospiti siano davvero sovraccarichi di bagagli.) Quando giungerete alla meta, l'esclusività e l'assoluta quiete del luogo vi ripagheranno della fatica. Quasi in cima al mondo, palazzo Cimbrone è una residenza patrizia interamente coperta di edera e immersa in uno dei giardini più spettacolari proprio per l'incredibile dislocazione. I pergolati di piante rampicanti, i roseti sopraelevati, le file di vecchi platani, i cipressi, i viottoli con i vigneti che offrono un riparo dalla luce del sole, le statue ricoperte di licheni devono la loro esistenza a un aristocratico inglese. Un tempo annessa a un monastero, Villa Cimbrone fu acquistata da Lord Grimthorpe nel 1904.

Questo eccentrico nobile originario dello Yorkshire dedicò gran parte della sua vita adulta alla realizzazione del parco, che sorse là dove erano solite pascolare le mucche e vi era un frutteto. Con scorci panoramici di un'inenarrabile bellezza, le sculture mitologiche, le magnifiche urne e i busti di marmo fanno da sfondo a incredibili accostamenti. Il viottolo principale conduce all'attrazione per eccellenza del giardino: il Terrazzo dell'Infinito, abbellito con statue di marmo rinascimentali e sospeso su una parete, a strapiombo sul mare, alta quasi 50 metri. A guardare giù ci si chiede immediatamente come i principi napoletani e i monaci siano riusciti a giungere fin qui la prima volta. La risposta è semplice: l'unico modo possibile era dal mare, risalendo gradini intagliati direttamente nella roccia. Per quanto raffinati, gli interni di Villa Cimbrone non possono competere con lo splendore del giardino; il salone vanta un imponente camino in stile rinascimentale e una collezione di libri antichi.

Ristrutturate di recente, alcune camere hanno i soffitti affrescati e le stanze da bagno sono rifinite con elaborate mattonelle napoletane, ma in linea generale l'impianto decorativo passa in secondo piano rispetto alla suggestione degli scorci panoramici che Gore Vidal — cittadino di Ravello — ha definito "i più belli del mondo".
Dopo le sei del pomeriggio, quando il parco viene chiuso al pubblico, il luogo diventa un'oasi di rarefatta bellezza.
Ravello fornì a Wagner l'ispirazione per il magico giardino di Klingsor nel *Parsifal*, E.M. Forster, attratto dall'atmosfera del palazzo, venne qui per scrivere; Greta Garbo lo elesse a nido d'amore dopo la celebre fuga con Leopold Stokowski.
Anche gli aspiranti artisti possono emulare i loro illustri predecessori prenotando una camera a Villa Cimbrone, ma se l'ispirazione dovesse ancora tardare, consiglio loro vivamente di tornare alle quotidiane occupazioni.

---

indirizzo Villa Cimbrone, Via Santa Chiara 26, 84010 Ravello, Salerno

t +39 (089) 857459 **f** +39 (089) 857777 **e** info@villacimbrone.it

tariffe a partire da 207 euro

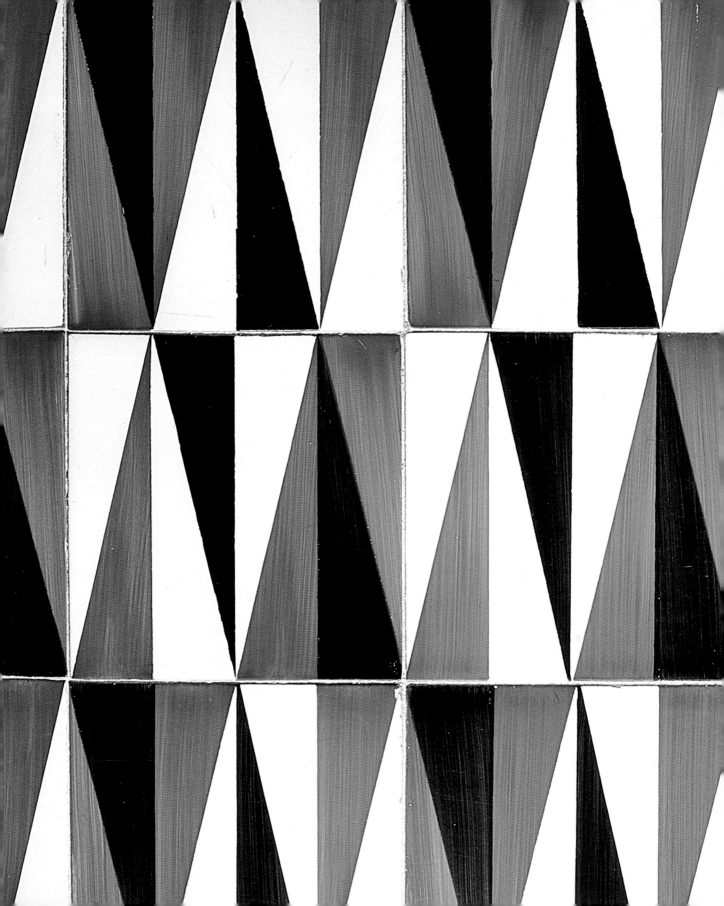

parco dei principi

Solo qualche anno fa avreste avuto non poche difficoltà a trovare qualcuno che sapesse dell'esistenza di un capolavoro dell'architettura moderna firmato Gio Ponti proprio sulla Costiera amalfitana, ma oggi tanto il Parco dei Principi quanto il suo creatore stanno vivendo una nuova, felice stagione. Certo tutti sanno chi è Gio Ponti, sebbene sia più facile associare il suo nome al grattacielo Pirelli di Milano piuttosto che a questa sua creazione tutta bianca e blu che si affaccia sulle acque verde smeraldo della Campania. Ma da quando riviste di design, di lifestyle e di turismo gli dedicano spazio, questo hotel è perfino più famoso di quando venne inaugurato. Da cosa dipende tutto questo interesse? Forse dalla recente riscoperta degli anni Sessanta? È possibile, ma qui si tratta di ben altro perché questo progetto sorrentino può essere considerato una delle opere più raffinate del maestro. Il fatto più incredibile è che esiste un secondo hotel Principi, altrettanto significativo ma molto meno conosciuto: Villa dei Principi, tutta verde e bianca annidata con discrezione all'interno del parco. Si usa paragonare Gio Ponti a Le Corbusier e a Frank Lloyd Wright non perché le loro opere siano simili,

ma perché i tre maestri dominarono il panorama dell'architettura e del design nelle loro rispettive nazioni. E come Le Corbusier e Wright, Ponti riservò agli ultimi anni della sua vita le opere più importanti. Wright aveva già ottant'anni quando disegnò le celebri forme del Guggenheim Museum di New York, e Ponti era sulla settantina quando iniziò il suo progetto a Sorrento. Proprio allora, quando tutti gli elementi della sua distintiva impronta creativa erano maturati al punto tale da considerarsi perfetti.

Il Parco dei Principi era un progetto che stava molto a cuore al maestro perché gli consentiva di dare ampio spazio al suo amore per la ceramica – passione che risaliva agli anni in cui aveva lavorato come direttore artistico alla Manifattura Ceramica Richard Ginori di Sesto Fiorentino. Come ebbe a dire: "Ho disegnato un hotel a Sorrento, e anche se non ce n'era bisogno, desideravo che le sue cento stanze avessero tutte pavimenti diversi. Questo nasce dal mio amore per la ceramica e, non appena ho l'occasione di usarla mi accorgo di fare più di quanto mi sia in realtà richiesto. Così da circa trenta differenti disegni, ognuno dei quali consentiva due, tre o al massimo quattro combinazioni, ne sono emersi un centinaio".

Convinto che l'architettura esistesse non solo per essere "abitata" ma anche per essere ammirata, Ponti lavorò alacremente all'estetica delle facciate. Quella del Parco dei Principi è cesellata geometricamente da spazi vuoti a forma di rombo e intagli rettangolari. In quanto agli interni, l'impronta distintiva del maestro è ravvisabile nell'abbinamento cromatico tra il bianco e un altro colore che viene proposto in ogni particolare, compreso gli arredi, le tende veneziane, i tessuti e le mattonelle di ceramica, da lui disegnati tutti personalmente. Le veneziane che, quando chiuse, ritagliano lo spazio con audaci strisce orizzontali, si rifanno direttamente agli studi compiuti negli anni Cinquanta su stoviglie e oggetti per la casa. Ugualmente, gli arredi in tutti e due gli alberghi sono il risultato di un grande amore, quello per la progettazione di mobili, che si esprime attraverso bozzetti, disegni e svariati esperimenti. Colonne e pilastri al Parco dei Principi recano pannelli decorativi in ceramica, una soluzione a cui era

ricorso vent'anni prima progettando alcuni edifici privati. A Sorrento l'impatto di tutta questa capacità inventiva è magnificato dall'impegno del proprietario dell'albergo, grande estimatore di Gio Ponti, per conservare al meglio l'opera del maestro. Non guasta certo il fatto che questo tratto della Costiera amalfitana sia un angolo di paradiso: il clima, la gente, la buona cucina, gli scorci incantevoli e le pareti rocciose di natura vulcanica che precipitano nelle verdi acque del Mediterraneo. A Sorrento le giornate iniziano con una gita lungo la costa alla ricerca di un ristorantino e si concludono con un tuffo in mare. Il luogo offre anche l'occasione per visitare rovine romane, palazzi rinascimentali, ville liberty, chiese medievali. Oltre a questa ricchezza che ci porge il passato c'è anche un capolavoro di arte moderna: la Villa dei Principi, che si cela agli sguardi indiscreti dietro la fitta vegetazione del giardino. Forse per questo i fotografi non l'hanno ancora scoperta... ma è solo una questione di tempo.

---

indirizzo Parco dei Principi, Via Rota 1, 80067 Sorrento

t +39 (081) 878 4644 **f** +39 (081) 878 3786 **e** info@grandhotelparcodeiprincipi.it

tariffe a partire da 198 euro

hotel la barme

Il numero di coloro che decidono di trascorrere le proprie vacanze estive in montagna è in costante aumento. Con i suoi massicci imponenti quali il Monte Bianco, il Cervino e il Monte Rosa, la Valle D'Aosta è una delle mete predilette tanto dagli italiani quanto dagli stranieri, e ciò non stupisce perché la valle gode di una posizione privilegiata ed offre ai villeggianti panorami unici al mondo. Chi lo desidera può ammirare una natura ancora incontaminata, favolosi castelli medievali arroccati sulle cime, piccoli paesi che sembrano usciti da un presepe, ghiacciai di neve perenne, una fauna e una flora protette nella splendida cornice di uno dei più grandi parchi naturali, quello del Gran Paradiso. La Valle d'Aosta offre anche località alla moda come Courmayer, sicuramente in una posizione splendida, con alle spalle le Alpi francesi e di fronte il massiccio del Monte Bianco. Purtroppo Courmayer è ormai diventata quasi una città, un luogo lontano dall'atmosfera un po' rude del tipico paesaggio montano, e completamente diverso dai villaggi alpestri costruiti dalla mano dell'uomo che, un tempo, caratterizzavano questi ampi spazi. Per ritrovare la vita genuina delle Alpi è molto meglio dirigersi altrove, in un piccolo villaggio chiamato Valnontey, perla della valle di Cogne. Un nucleo di case coloniche e una chiesetta costituiscono il paesino che, nonostante le ridotte dimensioni, è una meta rinomata per la sua felice posizione ai piedi del Parco nazionale del Gran Paradiso. Il parco, realizzato nel 1922 dalle riserve di caccia della casa reale dei Savoia, offre scenari di selvaggia bellezza con vette imponenti, una ricca vegetazione e, sullo sfondo, le striature bianco-azzurrognole dei ghiacciai. Costituisce inoltre l'habitat per specie animali protette quali lo stambecco selvatico, un esemplare carismatico della famiglia dei cervi ormai estinto in tutto il resto d'Europa. Nonostante offra belle piste per lo sci d'alpinismo e di fondo nella stagione invernale, il parco è soprattutto una meta estiva. Nel mese di agosto è affollato di escursionisti e scalatori che lo prediligono per i suggestivi paesaggi, la flora straordinaria, le cascate impetuose e la fauna selvatica che annovera camosci, aquile reali e marmotte. In un contesto naturale tanto incontaminato è normale desiderare un albergo in armonia con l'ambiente circostante, ma con un tocco particolare. Un albergo di lusso, per quanto rustico, sarebbe sicuramente fuori luogo. L'Hotel la Barme è perfettamente

in sintonia con Valnontey. Realizzato di recente dalla ristrutturazione di un nucleo di antiche strutture montane, è un albergo di stile, originale e per niente pretenzioso, con prezzi assolutamente ragionevoli. Gestito dalla famiglia Herren, La Barme è una perla dell'ospitalità: originariamente fu il padre dei fratelli che oggi lo dirigono a trasformare una vecchia baita in un piccolo hotel con ristorante annesso. I proprietari sono persone molto gentili che ci ricordano un passato non troppo lontano, in cui la gente di montagna era unita e solidale nella lotta per la sopravvivenza in ambienti naturali straordinari, ma non certo facili. S'intuisce subito che, per i signori Herren, La Barme non è solo un'attività commerciale ma una vera e propria scelta di vita. Quasi per sottolineare la loro fedeltà alle montagne lo tengono aperto tutto l'anno, anche quando la temperatura scende di molti gradi sotto lo zero e i prati si coprono di un'alta coltre di neve. Sulla rustica facciata dell'hotel si possono contare le crepe presenti nel legno grigio invecchiato dalle intemperie. Gli interni, tuttavia, sono straordinariamente moderni e confortevoli. L'uso della ceramica bianca predomina nei pavimenti degli spazi comuni come la hall, il ristorante e il bar. Anche le pareti sono imbiancate a calce e gli arredi sono in legno di pino chiaro. L'unica nota di colore, fatta eccezione per le fotografie di montagna appese ai muri, è data dalla stufa smaltata di rosso nella sala delle colazioni, dai fiori alpini disegnati attorno alle cornici delle porte e dai cuscini, ugualmente di color rosso, che ravvivano i mobili. Le stanze sono di una semplicità assoluta: tappeti color grigio perla, letti in legno, tende a scacchi rossi e bagni interamente bianchi. Pratiche, pulite e confortevoli, le camere sono in sintonia con il resto dell'ambiente, realizzato puntando sulla qualità, con molta discrezione e altrettanto buon gusto. Del resto, perché distrarre l'attenzione degli ospiti con interni sfarzosi, quando il vero spettacolo è la vista mozzafiato che si gode da ogni finestra?

---

indirizzo Hotel la barme, Valnontey, 11012 Cogne, Valle d'Aosta

t +39 (0165) 749177 **f** +39 (0165) 749213 **e** labarme@tiscalinet.it

tariffe a partire da 42 euro

LA BARME
HOTEL

sassi hotel

La chiamano la città dei "Sassi". Incastonata tra le gole rocciose della Basilicata, Matera è unica al mondo con le sue abitazioni simili a grotte scavate nelle ripide pareti di roccia calcarea. Nell'anno 1993 L'Unesco ha dichiarato ufficialmente questo sito storico "patrimonio dell'umanità" e da allora è in atto una politica di rivalutazione artistica della zona. I Sassi, come vengono chiamate queste grotte realizzate dalla mano dell'uomo, ospitavano un tempo abitazioni, celle, ricoveri per gli animali e perfino chiese rupestri con affreschi bizantini. Ciò che li rende assolutamente unici nel loro genere sono le facciate in pietra lavorata. È vero che nel mondo esiste un altro esempio di questa particolare architettura a Petra, in Giordania, ma Matera è su scala assolutamente più ampia. Quando si visita quest'antica metropoli per la prima volta, si ha quasi l'impressione di trovarsi di fronte a uno skyline preistorico di Manhattan. Al contempo antichi e senza tempo i Sassi – così come la natura aspra e surreale del luogo – costituirebbero lo sfondo ideale di una nuova versione del *Gladiatore* o di *Guerre Stellari*. Si stenta a pensare che non molto tempo fa i Sassi di Matera erano una delle zone d'Italia più povere e depresse. Carlo Levi, confinato dal regime fascista in Lucania, così descriveva la vita agra dei contadini in *Cristo si è fermato a Eboli*: "Le case dei contadini sono tutte uguali, fatte di una sola stanza che serve da cucina, da camera da letto e quasi sempre anche da stalla per le bestie piccole [...] La stanza è quasi interamente riempita dall'enorme letto assai più grande di un comune letto matrimoniale: nel letto deve dormire tutta la famiglia, il padre, la madre e tutti i figlioli. I bimbi più piccini, finché prendono il latte, cioè fino ai tre o quattro anni, sono invece tenuti in piccole culle o cestelli di vimini, appesi al soffitto con delle corde e penzolanti poco più in alto dal letto [...]" In quegli anni chi viveva nei Sassi non aveva né elettricità, né acqua corrente, né un sistema di fognature. Fu solo tra il 1952 e il 1960 che il governo intervenì e decise di far evacuare i due rioni di Barisano e Caveoso, assegnando agli abitanti nuovi alloggi nella periferia di Matera. Negli ultimi anni la regione, e soprattutto la città in pietra di Matera, è stata oggetto d'interventi di restauro. All'interno dei Sassi sono stati aperti ristoranti, bar e trattorie e questo ha dato il via a una felice riscoperta del luogo da parte del turismo. Il Sasso Barisano, per esempio, non è solo un'oasi di pace in quanto

totalmente chiuso al traffico, ma anche un'esperienza che non ha eguali al mondo. Sull'onda di questo revival, Pier Gregorio Padula decise di creare un hotel sfruttando alcuni vecchi e semplici Sassi accanto a un paio di edifici più elaborati che datano al XVIII secolo. Si tratta di una struttura di 1800 metri quadrati che si estende all'interno di grotte ricavate nella roccia, alla quale si aggiungono altri 270 metri quadri tra corti e terrazze. Ci vollero cinque anni per portare a termine l'intero progetto e alla fine si trovò il giusto equilibrio tra autenticità storica, mentalità moderna e una politica di prezzi ragionevole. L'impianto originario dei Sassi si ritrova nella reception, nel bar e nella sala delle colazioni. L'impronta decorativa neoclassica si esprime viceversa nella facciata in tufo calcareo dei piani superiori. Le camere da letto, tutte bianche, semplicemente arredate e con stanze da bagno nuove di zecca, creano un piacevole contrasto con le aree comuni. Una delle suite, dal design sobrio e moderno,

dispone anche di una bella terrazza, di un salotto e di una scala interna. E pur tuttavia l'attrattiva dell'hotel non è nei suoi particolari, ma nell'impatto generale con l'ambiente circostante. Non ho dubbi che se Le Corbusier, nei due anni trascorsi a zonzo nel Mediterraneo con il suo album da disegno, avesse saputo dell'esistenza di questo esempio storico di inventiva urbanistica vi si sarebbe fermato per trarne ispirazione. E disegnare era proprio quello che stava facendo uno studente giapponese nei giorni in cui mi trovavo in città. Sì, perché oltre all'albergo il Sassi ospita anche un ostello. In posizione sopraelevata rispetto alla depressione calcarea si trovano le camere più spaziose e costose mentre al livello inferiore, a cui si accede tramite una scala di pietra intagliata nella roccia, ci sono le stanze più economiche con letti a castello. L'unico albergo di Matera nei Sassi è riuscito a sfuggire alle logiche restrittive proprie dell'indirizzo di lusso, rimanendo così fedele alle umili radici storiche del sito.

---

indirizzo Sassi Hotel, Via San Giovanni Vecchio 89, 75100 Matera, Basilicata

t +39 (0835) 331009 **f** +39 (0835) 333733 **e** hotelsassi@virgilio.it

tariffe a partire da 52 euro

palazzo belmonte

Mare, arte e cultura: tre ragioni più che valide per visitare la Campania. Ma se volete evitare le mete classiche del turismo e scoprire un angolo di paradiso ancora poco conosciuto, immergendovi nell'atmosfera autentica e per niente rarefatta di un bel palazzo secentesco, questo indirizzo è un piccolo segreto da custodire gelosamente. Costruito agli inizi del Seicento per la famiglia Granito Pignatelli principi di Belmonte e marchesi di Castellabate come casino di caccia, tale rimase fino al 1982. I reali di Spagna e d'Italia solevano cacciare quaglie e cinghiali sulle vaste proprietà della famiglia, in particolare sul tratto di costa chiamato Punta Licosa. L'altra funzione dell'imponente palazzo (capace di ospitare tutti i partecipanti delle battute di caccia), era quella di magazzino per conservare i prodotti delle campagne circostanti: grano, fichi, carrube eccetera. Per impedire agli animali predatori di assicurarsi un facile bottino, frutta e verdura venivano sospese a debita altezza mediante funi arrotolate intorno ad anelli conficcati negli alti soffitti a volta. I casini di caccia sono una realtà piuttosto diffusa nelle nostre regioni, ma la particolarità di Palazzo Belmonte è la sua posizione: direttamente sulla spiaggia,

nei pressi della cittadina di Santa Maria di Castellabate. Purtroppo anche questa villa non sfuggì al triste destino che si abbatté su molte dimore aristocratiche nel Novecento: dopo la Seconda Guerra Mondiale Palazzo Belmonte andò incontro a un rapido declino e per quasi vent'anni versò in stato di abbandono. Per un lungo periodo l'attuale principe di Belmonte non si curò della proprietà; iniziata la carriera lavorativa a Milano, si era trasferito prima a Londra e poi a New York. A un certo punto tuttavia scattò qualcosa dentro di lui, come se il glorioso retaggio della sua famiglia lo richiamasse all'ordine. Prese la drastica decisione di tornare in Italia e occuparsi del palazzo che aveva ereditato dalla famiglia. Fu una mossa coraggiosa perché si ritrovò coinvolto in un progetto di proporzioni monumentali, in una zona non troppo famosa per ambiziose opere di restauro di antiche proprietà. L'idea più logica era trasformare il palazzo in un hotel, peccato che Santa Maria di Castellabate, benché benedetta da una spiaggia bianca di sabbia finissima e da un clima fantastico, non era affatto una destinazione turistica. Ma il principe fu fortunato perché tariffe aeree più abbordabili e il potenziamento dell'aeroporto di Napoli

Tocchi di aristocratica stravaganza
spezzano il ritmo, altrimenti semplice
e pacato, degli interni dell'hotel

Palme, platani e eucalipti crescono
nel giardino di Palazzo Belmonte,
alle spalle di una bella spiaggia

La posizione di Palazzo Belmonte è
unica. Offre panorami incantevoli,
sabbie finissime e un parco rigoglioso

Sotto le arcate e nei cortili di Palazzo Belmonte si ravvisa l'influenza del potere borbonico di un tempo

Difficile rimanere indifferenti di fronte alla mole imponente del palazzo che si svela al culmine dell'ombroso viale

Bianchi ed essenziali, gli interni del palazzo sembrano esaltare la disinvoltura tipica della vita di mare

trasformarono questo tratto di costa in una meta ambita dal turista in cerca di sole, mare e tranquillità. Palazzo Belmonte e la cittadina di Santa Maria di Castellabate offrono tutto ciò. A questo punto occorre dire che Palazzo Belmonte non va confuso con certi hotel sfarzosi, ricavati in splendide ville d'epoca o antiche dimore aristocratiche. Le camere del palazzo non sono stipate di pezzi d'antiquariato e gli spazi comuni rifuggono una ricercatezza ostentata. Le pareti tinteggiate di bianco si abbinano ai pavimenti di ceramica chiara, i mobili sono semplici e di solida struttura; il design è disinvolto, per nulla vistoso e del tutto consono alla vita di mare. Ci troviamo nel cuore del parco del Cilento, in una località di villeggiatura e le giornate scorrono a un ritmo lento, alternando nuotate a passeggiate sulla spiaggia. L'atmosfera a Palazzo Belmonte è così rilassata che l'antico casino di caccia si è praticamente trasformato in un albergo per famiglie. Va detto inoltre che quando il principe si imbarcò nel progetto di ristrutturazione, preferì creare spaziose suite piuttosto che semplici camere, ben comprendendo che gli ospiti ambiscono a una certa indipendenza. Inoltre, a quei tempi, la scelta sembrava quasi obbligata visto che l'albergo non possedeva un ristorante. Che però oggi esiste e può tranquillamente competere — in quanto a menu — con quello dell'Hotel Raya a Panarea. Posto al limitare dello straordinario giardino del palazzo, il ristorante gode di uno splendido panorama che abbraccia la Costiera amalfitana e l'isola di Capri. I tramonti che infiammano il cielo e tingono di rosso il romantico paesaggio sono uno spettacolo da non perdere mentre, seduti a tavola, si gustano prelibatezze della cucina locale cullati dallo sciabordio delle onde che lambiscono la spiaggia sottostante. Di giorno, a Palazzo Belmonte si può girare a piedi nudi all'ombra di grandi platani, cipressi e cespugli porpurei di bouganvillae. Come non definirlo il luogo ideale per gli amanti della vita da spiaggia... con o senza bambini appresso.

indirizzo Palazzo Belmonte, 84072 Santa Maria di Castellabate, Salerno
t +39 (0974) 960 211   **f** +39 (0974) 961 150   **e** belmonte@costacilento.it
tariffe a partire da 142 euro

capri palace hotel

Mai uscire tra le dieci e le quattro... questa è la regola non scritta che vige a Capri durante i pazzi mesi estivi. Avventurarsi all'esterno in queste ore del giorno vuol dire correre il rischio di imbattersi nei gitanti giornalieri che senza sosta, da giugno a settembre, vengono scaricati sull'isola dai traghetti e dagli aliscafi provenienti dai porti di Napoli, Sorrento e Positano. L'immagine del molo di Capri brulicante di imbarcazioni ricorda quella dell'affollato porto di Hong Kong.

Al mattino, subito dopo l'attracco del primo traghetto, l'intricata rete di vicoletti e viottoli formicola di una folla indistinta di gitanti in maglietta e pantaloncini corti. Il problema è che questa gente non compra niente, a parte un gelato o un caffè, e vaga senza meta apparente. Francamente, è un bell'impiccio per coloro che hanno la fortuna di stanziare in quest'isola stupenda. Ragion per cui gran parte dei residenti, fissi od occasionali che siano, preferiscono trascorrere le ore "del coprifuoco" sul bordo della piscina, oppure rintanati in qualche stabilimento balneare privato. Nel tardo pomeriggio, quando anche l'ultimo aliscafo ha acceso i motori e si è allontanato dal molo, l'isola recupera quell'atmosfera sofisticata, intima e sensuale

per cui va giustamente famosa. Dopotutto Capri è sempre Capri: le vivaci bouganvillae crescono abbarbicate sulle ripide scogliere; l'acqua del mare è eternamente turchese e luccica sotto i raggi del sole; vi sono ancora le grotte con le stalattiti, le ville in stile neoclassico e vige il carattere libertino e disinvolto che ha sedotto tutti, dall'imperatore Tiberio a Jackie Onassis. Di questi tempi però, la battaglia contro l'invasione dei gitanti ha generato qualche cambiamento. A parte l'autoimposto coprifuoco diurno, l'attenzione generale si è spostata dalla cittadina di Capri a quella di Anacapri. Circa trenta metri più alta sul livello del mare, più verde, esclusiva e incontaminata, Anacapri era un tempo conosciuta soprattutto per la chiesa di San Michele, con un bel pavimento maiolicato opera del pittore barocco Francesco Solimena. Oggi Anacapri è diventata una cittadina alla moda e questo lo si deve innanzitutto agli sforzi di Tonino Cacace e del suo hotel Capri Palace. I veterani e i residenti doc come Valentino, De Laurentis (padre e figlio), Swarovski conoscono l'hotel come l'Europa Palace, ovvero con il nome datogli dal padre di Cacace. Ma da quando il figlio ne ha preso le redini, il palazzo ha cambiato totalmente look e ha assunto un nome nuovo più adeguato. Lo stile decadente dell'"albergo delle stelle" riecheggia i fasti della Roma imperiale e si profonde in archi, colonne e soffitti a volta bianchissimi, che si armonizzano alla perfezione con i grandi e soffici sofà rivestiti di lino bianco. Lanterne marocchine, candelabri, vasi di terracotta e dipinti "oversize" di busti classici completano il quadro. È uno stile adeguato, se si considera la storia del sito in cui è stato costruito l'albergo. Il Capri Palace, come vi racconterà con entusiasmo lo stesso Cacace, sorge là dove un tempo vi era un gigantesco palazzo appartenuto all'imperatore Augusto. Il proprietario, forse esagerando un po', ha voluto mantenere vivo il legame con l'architettura della Roma imperiale e non vi è dubbio che alla parola "palace" abbia dato il giusto peso. Gli ospiti vengono trattati con uno stile a dir poco regale; l'albergo conta cinque lussuose suite tra cui la Megaron, un appartamento di ben centocinquanta metri quadrati con tanto di giardino pensile e piscina privata riscaldata.

Se le celebrità di un tempo che frequentavano Capri si affidavano alla chimica farmaceutica per mantenersi in forma, le odierne generazioni preferiscono sottoporsi a rigeneranti massaggi curativi nell'adiacente centro termale. La Capri Beauty Farm, un vero e proprio gioiello nel suo genere, offre macchinari di raffinata tecnologia e un reparto specializzato nella cura degli inestetismi della cellulite.

Il Capri Palace Hotel vanta infine un ristorante, La Terrazza, che può essere considerato il migliore di tutta l'isola.

E tuttavia ciò che attrae personaggi blasonati, attori del cinema americano, cantanti celebri e stilisti di moda di fama internazionale in questa principesca isola è la tradizione per un certo stile di vita, una dolce vita potremmo dire, a patto però che si rispetti "il coprifuoco" e non si esca mai tra le dieci e le quattro del pomeriggio.

indirizzo Capri Palace Hotel, Via Capodimonte 2b, 80071 Anacapri, Capri

t +39 (081) 9780111 f +39 (081) 8373191 e info@capri-palace.com

tariffe a partire da 191 euro

hôtel de la poste

Nel libro di memorie *Harry's Bar* Arrigo Cipriani descrive come Hemingway, negli anni Trenta, fosse solito saltare sulla sua Buick decappottabile e raggiungere Cortina d'Ampezzo per dedicarsi a qualche sport invernale. Arrivava con la sua barba cespugliosa semighiacciata e, come testimonia il vecchio e caro libro degli ospiti, scendeva sempre all'Hôtel de la Poste. Fin dagli anni Venti Cortina è stata una delle basi del turismo invernale e, senza dubbio, la più importante stazione sciistica italiana. Nonostante questo sport si sia diffuso più tardi nelle Dolomiti rispetto ad altre zone alpine, Cortina è famosa per aver trasformato lo stile di vita che ruota attorno allo sci in un'arte sopraffina. Questa cittadina deve parte del successo al bel tempo. Anche in inverno inoltrato Cortina è sempre soleggiata: almeno sette sono le ore di luce, e se poi all'attività sportiva si aggiunge la possibilità di fare shopping o semplicemente di passare il tempo in un caffè godendosi il viavai delle signore vistosamente impellicciate, si comprende perché agli inizi degli anni Settanta le eleganti vie di Cortina venissero solcate da celebrità internazionali del cinema come Elizabeth Taylor, Audrey Hepburn, Henry Fonda e Cary Grant. Adagiata in un'ampia conca solatia, circondata dai picchi frastagliati delle Dolomiti, Cortina offre uno scenario incomparabile che, come una calamita, ha attirato a sé i viaggiatori di ogni tempo. Quando la Casa degli Asburgo conquistò le terre del Tirolo nel 1363, Cortina divenne in breve tempo la meta estiva preferita dei reali. La tradizione continuò nei secoli a venire, salvo un breve intervallo quando nel Quattrocento la zona cadde sotto il dominio della Repubblica Veneziana. Fu solo alla fine del primo conflitto bellico, con il trattato di Versailles, che le Dolomiti, Cortina compresa, furono sottratte all'Austria e annesse all'Italia. Ne deriva un carattere culturale che potremmo definire misto: l'impronta tirolese è ravvisabile nelle tradizionali case di legno con ampi balconi e balaustre intagliate e nella lingua, che attinge di sovente a espressioni dialettali austriache. La cucina, il modo di vivere e il design esprimono una rassicurante e terrena *Gemütlichkeit* e, al contempo, una fervida creatività tipicamente italiana. Fatto piuttosto strano, i connoisseur di Cortina sono però più inclini a optare per il gusto tirolese piuttosto che per i ricchi eccessi di uno stile decorativo che si rifà alla tradizione italiana. E questa è sicuramente la chiave del duraturo successo dell'Hôtel de la Poste, che offre tutti i confort di un cinque stelle, seppur elevandosi rispetto alla concorrenza per autenticità e naturale eleganza. È accogliente, intimo e raffinato, quel genere di luogo che ti avvolge con il rassicurante tepore della tradizione; inoltre vanta un'eccellente dislocazione in Cortina. Tutte le mattine la terrazza dell'hotel è affollata di signore e signori elegantemente vestiti che sorseggiano una tazza di cioccolata e si gustano un prelibato Krapfen per poi prepararsi — senza troppa fretta — a fare qualche pista prima di pranzo. A Cortina la vita scorre lentamente, non è frenetica come in altre stazioni turistiche alpine. La gente si prende il tempo per pranzare e per fare shopping nel pomeriggio. Da sempre l'hotel è stato il fulcro della vita cittadina. Nel 1835, il diritto ufficiale di ricevere posta e messaggi fu concesso a un tal Gottardo Manaigo, che trasformò opportunamente la sua casa in albergo per ospitare i viaggiatori che giungevano sulle diligenze postali. Da allora l'albergo è sempre appartenuto alla famiglia Manaigo. Pochi sono i proprietari di hotel che possono dire: "Oh, sì, mio padre mi raccontava che Hemingway era sempre l'ultimo a uscire dal bar". Le generazioni succedutesi hanno sempre dato un loro apporto creativo. L'accogliente bar, interamente rivestito di legno, è autentico e risale ai tempi delle diligenze postali; la hall, meno attraente, è più recente e testimonia l'inclinazione di un qualche Manaigo per uno stile più moderno. Ma la vera attrattiva di Cortina sono le Dolomiti. Diversamente dal resto delle Alpi, dove i ghiacciai hanno eroso e ammorbidito le selle e le creste di molte vette, la pallida parete rocciosa delle Dolomiti ha assunto nel tempo l'aspetto di guglie a forma di "canne d'organo" che svettano minacciose nel cielo. Altro grande vantaggio di Cortina è la sua prossimità a Venezia: in pratica potremmo fare la prima colazione sul Canal Grande ed avere già gli sci ai piedi prima di pranzo.

---

indirizzo Hôtel de la Poste, Piazza Roma 14, 32043 Cortina d'Ampezzo, Dolomiti

t +39 (0436) 4271   f +39 (0436) 868435   e posta@hotels.cortina.it

tariffe a partire da 101 euro

castello di montegridolfo

Un solitario castello appollaiato su un promontorio che domina una campagna morbidamente ondulata; in lontananza file di cipressi che risalgono i colli... una terra che ricorda la Toscana, la regione da sempre associata a idilliaci paesaggi di perfezione agreste. Ma in queste strade che serpeggiano lungo le colline non troverete torpedoni stracarichi di turisti o piccoli borghi medievali invasi da orde di giapponesi, tedeschi e americani armati di videocamere e macchine fotografiche. Qui siamo in Emilia Romagna e le regioni collinari alle spalle della Costa Adriatica non sono mai state oggetto del turismo di massa. La vita in queste terre scorre piano, scandita da sempre dall'alternarsi delle stagioni. Non c'è quindi da stupirsi che la stilista di moda Alberta Ferretti non abbia mai voluto andarsene. Nata e cresciuta in questi luoghi, prese la decisione di fissarvi anche la sede della sua impresa, pur conscia del fatto che tutto il mondo della moda ruota invece attorno a Milano. La signora Ferretti era alla ricerca di un rifugio in campagna per i fine settimana quando si imbatté nell'allora diroccato Palazzo Viviani, nel borgo fortificato di Montegridolfo. Con tanto di torre di guardia, ponte levatoio, chiesa, cappella e municipio, il castello venne costruito nel XIII secolo come residenza del nobile casato dei Gridolfi. Non erano però tempi facili e il castello, che si ergeva strategicamente in cima al colle, fu oggetto di saccheggi e alterni domini per oltre trecento anni. Ai tempi in cui arrivò la Ferretti Palazzo Viviani, che sorgeva sul lato estremo del Castello di Montegridolfo, versava in tale stato di abbandono che rischiava di crollare. Nonostante il suo grande amore per il luogo, la stilista capì che da sola non sarebbe mai riuscita a finanziare gli ingenti lavori di restauro. Per salvare l'antico Castrum Montisgredulphi dalla rovina c'era un unico modo: trasformarlo in hotel. Così la Ferretti si adoperò per mettere insieme un consorzio di imprenditori che, con l'appoggio del Comune di Montegridolfo e la preziosa collaborazione dell'Ente-Regione Emilia Romagna, si accinse al restauro non solo del palazzo bensì dell'intero borgo fortificato: la cappella, il municipio, la torre di guardia, l'intero nucleo medievale. I lavori furono condotti con una fedeltà scrupolosa ai precedenti architettonici descritti dallo storico dell'arte Pier Giorgio Pasini come "semplici ma non miseri, umili ma non sciatti". I venti residenti del paesino furono trasferiti altrove e,

dopo sette anni (il 24 giugno 1994), il Castello di Montegridolfo fu finalmente pronto a riaccogliere i suoi cittadini e a dare il benvenuto a nuovi ospiti. Oggi il sito accoglie un lussuoso comprensorio alberghiero e un piccolo ma autentico paesino medievale. L'hotel occupa sia il palazzo tornato agli antichi splendori, sia la più discreta Casa del Pittore che si trova all'interno del giardino. Una piscina con ampie vedute sulle morbide colline sorge all'interno del parco. Per gli ospiti che hanno un budget da rispettare o per coloro che desiderano soggiornare per periodi più lunghi conservando tuttavia una certa indipendenza, Ferretti e partner hanno acquistato altre quattro case che sono state convertite in appartamenti semplici, ma spaziosi e accoglienti. La stilista non si attribuisce tutto il merito di questa "crociata", ma è chiaro che le otto suite di Palazzo Viviani recano la sua impronta personale. I particolari rispecchiano le sue scelte nell'ambito della moda: un design che è romantico e delicato,

ma mai sovraccarico o sentimentale. Gli ospiti che si fermano a Montegridolfo unicamente per i piaceri della buona tavola hanno un'ampia possibilità di scelta. Nelle cantine del palazzo si trova il Ristoro di Palazzo Viviani, un ristorante elegante specializzato in alta cucina. Alla più casereccia Osteria dell'Accademia i clienti possono cenare in terrazza nella stagione estiva. D'inverno la Grotta dei Gridolfi propone specialità cotte al forno e d'estate la piazza è invasa dai tavolini della pizzeria Ritrovo del Vecchio Forno. Per banchetti e ricevimenti, l'aranceto di Palazzo Viviani ospita il Ristorante dell'Agrumaia. In mezzo a tanti ritrovi, ristoranti ed eventi si potrebbe pensare che Montegridolfo abbia perso la sua autenticità, trasformandosi in una macchina dell'intrattenimento dotata di signorili strutture ricettive. Non è così. Provate a lasciare la macchina in divieto di sosta e vedrete comparire un vigile con il blocchetto delle multe. Questo è un paese a tutti gli effetti, con obblighi e doveri da rispettare.

indirizzo Hotel Palazzo Viviani, Via Roma 38, Montegridolfo, Rimini
t +39 (0541) 855350 f +39 (0541) 855340 e montegridolfo@montegridolfo.com
tariffe a partire da 129 euro

carducci 76

Cattolica è una delle mete classiche del turismo di massa. Una spiaggia di sabbia finissima che ospita file di ombrelloni; un mare che degrada dolcemente, l'ideale per famiglie con bambini piccoli; una serie di pensioncine e alberghi per tutte le tasche, gestiti con la proverbiale cordialità romagnola. Tutti prima o poi siamo stati una volta a Cattolica... ma esiste una valida ragione per tornarvi una seconda volta? La risposta è affermativa e si chiama Carducci 76. Qui vi dimenticherete perfino di trovarvi sull'Adriatico, e forse trascorrerete l'intero soggiorno senza mai uscire dall'hotel. Al Carducci 76 vi sentirete totalmente avviluppati in ambienti Zen splendidamente realizzati, con un'atmosfera che ricorda in parte quella di un'antica dimora vietnamita e, in parte, quella di una piantagione dei Caraibi. Quando l'architetto Luca Sgroi sventrò radicalmente una vecchia e triste casa padronale in stile vittoriano, aveva in mente di ricostruirla ispirandosi alle yali, le eleganti ville tutte in legno che costeggiano il Bosforo in prossimità di Istanbul. Il risultato è di tale suggestione esotica da scatenare fantasie che variano da soggetto a soggetto. E questa è la forza di Carducci 76: l'hotel stesso è la concretizzazione di una fantasia. Corpi bronzei fasciati da variopinti sarong scivolano su lucidi pavimenti di legno scuro e solcano una serie infinita di corridoi con le pareti impeccabilmente bianche, coperte da veneziane di legno per proteggere dalla calura di mezzogiorno. Musica d'atmosfera crossover che si ispira al Buddha Bar di Claude Challe a Parigi viene diffusa negli ambienti da un sofisticato impianto stereo, e uno staff di giovani cuochi stuzzica il palato degli ospiti con una cucina d'impronta fusion. Il menu propone bocconcini di tofu leggermente fritti serviti con gamberi e piccoli polipi, o tocchetti di zucca saltati in padella con gamberi e semi di sesamo. Ma il Carducci 76 non è solo un'accozzaglia – per quanto ben riuscita – di rivestimenti in pelle, oggetti laccati, mobili di rattan, dettagli etnici ad hoc e distese di lino bianco. La struttura è stata concepita per offrire il massimo del comfort agli ospiti, soprattutto in termine di spazio. La camera che al Carducci 76 viene definita "standard", in un qualsiasi altro albergo sarebbe comodamente classificata come "suite". In sintonia con tutti gli altri ambienti, le stanze sono un modello di equilibrio decorativo: suppellettili asiatiche disposte con cura,

fotografie in bianco e nero dell'Indocina e del Siam, cuscini indiani, sculture africane e artefatti giapponesi. Questo design che attinge contemporaneamente allo stile etnico e al minimalismo non è una novità, ma raramente si è raggiunto un tale livello qualitativo, sicuramente dettato da un gran buon gusto. Peraltro, non sempre è possibile avventurarsi in queste scelte senza pagare un prezzo folle. Un luogo straordinario, un gran valore aggiunto... chi c'è dietro tutto questo? Chi mai può aver acquistato una villa degli anni Venti in una cittadina di mare che non brilla certo in quanto a perfezione estetica, per trasformarla poi in un'oasi di stile, dove gli spazi comuni e le 38 camere si ispirano tanto all'architettura islamica quanto alla compostezza asiatica? Sapere che dietro quest'albergo vi è Massimo Ferretti, fratello della stilista di moda Alberta, può essere d'aiuto; quando poi si scopre che Cattolica è la loro base operativa, si comprendono la filosofia del progetto e le ragioni della sua collocazione. I fratelli Ferretti

hanno sempre resistito al richiamo di Milano. Massimo e Alberta hanno costruito il loro impero nella propria città natale e qui realizzano non solo una propria linea personale ma, con Aeffe SPA marchi quali Jean-Paul Gaultier e Moschino. La scommessa di Massimo sul mercato alberghiero si basa su questo presupposto: "Se la proposta è valida e ben realizzata, la gente non mancherà". E aveva ragione: la clientela è arrivata da tutta Europa e, guarda caso, molti degli ospiti sono milanesi e appartengono al mondo della moda. Ma quanto c'è di valido e di buono in Carducci 76? La miglior risposta mi fu fornita da una coppia di inglesi che incontrai all'ingresso dell'albergo. Mi vennero incontro entusiasti e mi chiesero se avessi prenotato in quell'albergo, poi mi dissero: "Oh, le piacerà molto, è il miglior albergo italiano in cui siamo stati. La città non è granché, ma noi non ce ne siamo quasi accorti. La prego, però, non faccia troppo pubblicità; per noi Carducci 76 è un piccolo segreto da conservare gelosamente".

---

indirizzo Hotel Carducci 76, Viale Carducci 76, 47841 Cattolica, Rimini

t +39 (0541) 954677   **f** +39 (0541) 831557   **e** info@carducci76.it

tariffe a partire da 134 euro

hotel savoy

Stare sul terrazzo della suite d'angolo al piano nobile dell'Hotel Savoy e sentirsi come Eva Peron, guardare giù in piazza della Repubblica dove la gente passeggia in una calda notte d'estate ed aver voglia di parlare alla folla. Non c'è da stupirsi che il Savoy sia diventato rapidamente l'albergo numero uno a Firenze. Costruito sul sito in cui sorgeva l'antica chiesa di San Tommaso, l'edificio risale al 1893, un periodo di rinnovamento urbanistico che vide mutare l'intero carattere della città che, dal 1865 al 1871, era stata eletta capitale del Regno. I cambiamenti furono radicali: la piazza del Mercato Vecchio, che era il cuore pulsante del centro, fu distrutta per ragioni igieniche così come fu raso al suolo l'antichissimo ghetto ebraico. Il vecchio quartiere medievale fu spazzato via per fare spazio al nuovo centro della città. Piazza Vittorio Emanuele era destinata però a cambiare ancora una volta il suo nome e, dopo la Seconda Guerra Mondiale, fu opportunamente ribattezzata in piazza della Repubblica. Molti turisti scordano però che questo slargo, così centrale, si è aggiunto alla città in epoca piuttosto recente. A giusto titolo può essere considerato un luogo strategico: le boutique più alla moda come Prada, Gucci,

Armani e molte altre griffe sono disposte attorno alla piazza o nelle immediate vicinanze; da qui si può raggiungere in un batter d'occhio i maggiori monumenti quali il Duomo e il Battistero, il Ponte Vecchio, la Galleria degli Uffizi, Palazzo Pitti con il bel giardino di Boboli. Fino a qualche anno fa per immergersi nella sua vivace atmosfera bastava sedersi a un tavolino del Caffè Gilli o del Caffè delle Giubbe Rosse, locale di cara memoria perché frequentato agli inizi del secolo scorso da artisti e scrittori del Futurismo. Il nuovo Savoy, riaperto nel maggio 2000 dall'attuale proprietario Rocco Forte, ha cambiato i ritmi della vita notturna fiorentina: questo luogo è di nuovo frequentatissimo, perché il bar L'Incontro e l'apprezzatissimo ristorante dell'hotel attirano come una calamita una clientela alla moda che trascorre piacevoli serate sulle terrazze prospicienti piazza della Repubblica. Ogni particolare è di assoluto buon gusto e in sintonia con una città che ha stile e una nobile reputazione in fatto d'artigianato di gran qualità. Arte orafa, lavorazione di carte pregiate, ricamo, ferro battuto, cuoio e pellami, damaschi di seta, ceramiche, ebanisteria, lavorazione a scagliola, profumi, incisioni d'arte, broccati... queste

Il nuovo Savoy combina spazi classici, stile contemporaneo e una felice ubicazione nel cuore della città

Il Savoy si affaccia su piazza della Repubblica, uno dei luoghi strategici e più vivaci di Firenze

Gli interni, di un'eleganza disinvolta, sono ravvivati da una serie di opere in cui predomina il tema della calzatura

Tra le varie arti tradizionali, quella della calzoleria è una delle attività artigianali di cui Firenze va più fiera

Invece dell'ormai sfruttatissimo beige, Olga Polizzi ha preferito optare per diverse sfumature di verde

I corridoi del Savoy, ristretti per offrire maggior spazio alle stanze, sono abbelliti da copie di antichi fregi

le tradizionali attività artigianali che a Firenze hanno raggiunto, e tuttora raggiungono, livelli ineguagliabili, grazie anche a una fortissima concorrenza tra le diverse botteghe che ancora sopravvivono lanciando una sfida alla produzione di massa. Ne consegue che Firenze oscilla tra la fedeltà a una tradizione di eccelsa qualità e l'amore per un design moderno. Il Savoy può essere considerato, a giusto titolo, il punto d'incontro tra i due stili ed è questo il motivo del suo successo. Gli interni, splendidamente disegnati da Olga Polizzi, sorella e partner creativo di Rocco Forte, coniugano un approccio contemporaneo a tecniche e materiali sopraffini.

Pezzi d'antiquariato e arte moderna convivono in un impianto decorativo figlio dei nostri tempi: i mobili sono contemporanei, i pavimenti e le pareti si ispirano a scelte semplici e "naturali". Nel bar e nel ristorante il cuoio ribattuto e listato delle panche rende omaggio alla secolare arte di lavorare la pelle, i tovagliati in lino rispecchiano la passione per il design contemporaneo e i mobili antichi testimoniano come Firenze abbia dato forma a più epoche, raffinando o completando la storia dell'arte in un clima di quasi miracolosa continuità e perfezione.

Pur tuttavia, ciò che più colpisce al Savoy è il servizio, veramente ineccepibile e impeccabile. L'arte dell'ospitalità scorre nel sangue dei Forte e si traduce in uno staff che è al contempo così cortese, efficiente e professionale che viene quasi da pensare che lavori in quest'hotel già da decenni. È proprio il servizio a fornire al Savoy quel senso d'accoglienza che il design da solo non può dare. Un hotel ben concepito e diretto con professionalità, che rispecchia quindi tutte le qualità che hanno fatto di Firenze una delle mete per eccellenza del turismo nazionale e internazionale.

Se poi l'Hotel Savoy è anche capace di farvi sentire come Eva Peron, esiste una ragione plausibile per cercare altrove soluzioni alternative?

indirizzo Hotel Savoy, Piazza della Repubblica 7, 50123 Firenze

t +39 (055) 2735 1 **f** +(39) 055 2735 888 **e** reservations@hotelsavoy.it

tariffe a partire da 400 euro

gallery hotel art

La città di Firenze può essere considerata la massima espressione dei supremi ideali civici rinascimentali. Il David di Michelangelo, che un tempo dominava piazza della Signoria, è uno dei capolavori artistici di tutti i tempi. Commissionato al maestro nel 1501 quando aveva appena 29 anni, l'eroe biblico che sfidò e uccise il gigante Golia non solo confermò l'indiscussa superiorità di Michelangelo rispetto agli artisti della sua generazione, ma promosse nell'arte scultorea soluzioni compositive volte alla caratterizzazione drammatica dei personaggi. Con la dinastia dei Medici, Firenze divenne la capitale culturale e intellettuale d'Europa. Artisti, scultori e architetti dettero vita a una rinascita dell'arte senza precedenti che pose le basi delle rivoluzioni culturali e strutturali dei secoli successivi. Forse non tutti sanno che la tradizione fiorentina di promuovere le arti si protrasse fino al XX secolo, quando la città divenne uno dei centri di sviluppo del movimento futurista, fondato nel 1909 da Filippo Tommaso Marinetti. Per il turista, Firenze è un gioiello che racchiude opere e monumenti incomparabili del passato, quasi non esistessero tracce dell'arte moderna. La famiglia Ferragamo, al contrario, ha puntato

tutto sulla modernità concependo un hotel "d'avanguardia". Il progetto iniziale si basava su tre elementi: riassumere con presupposti moderni la secolare tradizione fiorentina di dare impulso alle arti; offrire una sofisticata alternativa all'attuale turista cosmopolita e, infine, fornire una sede dove fiorentini e ospiti di passaggio potessero discutere di arte, filosofia e, più in generale, della situazione attuale in un adeguato contesto moderno. Si è riusciti a fare centro su tutti i fronti? Potremmo praticamente dire sì. Il Gallery Hotel Art ha infatti conquistato le simpatie di chi è in cerca di qualcosa di diverso. Senza dubbio è un luogo che continua la tradizione di promuovere e supportare la creatività contemporanea. Se poi a tutti gli effetti sia diventato un luogo d'incontro, è ancor presto per dirlo perché è passato troppo poco tempo dall'inizio della sua attività. I fiorentini poi, forse più dei turisti convenzionali, diffidano per carattere di ogni cambiamento. Una cosa però è certa: questo hotel rappresenta una ventata d'aria fresca e, al contempo, una sfida al panorama dell'ospitalità cittadina. Che senso avrebbe avuto costruire l'ennesimo albergo falsamente antico, con i gigli ricamati sugli asciugamani e antiche carte geografiche

appese alle pareti? Allo stesso modo, l'ultima cosa di cui Firenze aveva bisogno era un altro ristorante toscano. Il Fusion Bar, un locale in cui si pranza e si cena, sovverte la cucina italiana mescolandola con quella giapponese. Descritto come punto d'incontro tra la cultura mediterranea e quella nipponica, nasce dalla premessa intellettuale che queste due culture hanno sempre considerato la preparazione dei cibi come una delle più alte forme di espressione. Certo, un po' di scetticismo è naturale di fronte a un menu che propone pietanze insolite sia nella presentazione, sia nel gusto. I piatti di portata sembrano lunghe mattonelle di nera lava vetrificata. I diversi olii per condire sono disposti sulla tavola in una rastrelliera portaprovette e il saké viene servito in un bicchiere che ricorda, per forma, il baccello di un legume. Lo chêf è ugualmente fantasioso: uno dei piatti più memorabili è il sushi di foie gras, ovvero fettine di fegato d'oca grigliate alla perfezione, adagiate su un monticello cuneiforme di riso. Un altro guizzo

di creatività è rappresentato dal tiramisu preparato con il tè verde invece del caffè, una vera squisitezza. Le stanze sono meno innovative delle pietanze, ma del resto il progetto iniziale lo aveva già messo in conto. A detta dell'architetto Michele Bonan, si volevano coniugare stile, design e attenzione al particolare con una tecnologia all'avanguardia. Così, nelle camere troverete testiere del letto in pelle di cinghiale cucite a mano, ma anche impianti stereo con riproduttori CD e TV satellitare. I pavimenti sono in robusto legno wengè mentre le stanze da bagno sono realizzate con una profusione di pietra calcarea di provenienza turca. Il design, i tessuti, i colori e gli spazi sono stati studiati per soddisfare un piacere estetico e le naturali esigenze di comodità. Per dirla più semplicemente, il Gallery Hotel Art offre un'allettante alternativa in chiave moderna alle più convenzionali soluzioni alberghiere di Firenze... casualmente poi, risulta essere a due passi dallo storico Ponte Vecchio.

indirizzo Gallery Hotel Art, Vicolo dell'Oro 5, 50123 Firenze

t +39 (055) 27263 **f** +39 (055) 268557 **e** bookings@lungarnohotels.com

tariffe a partire da 325 euro

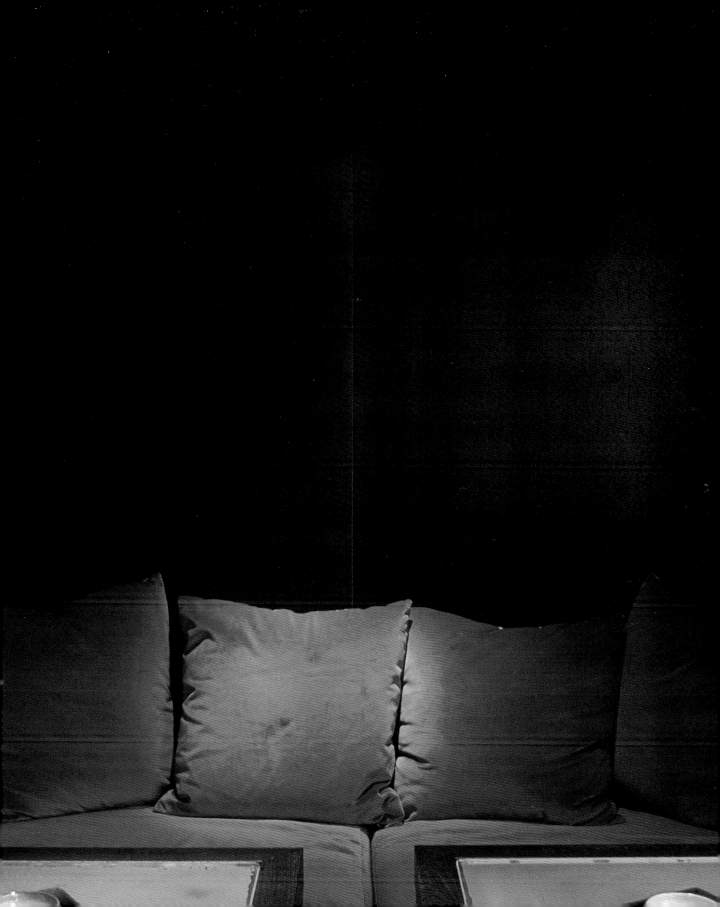

helvetia & bristol

L'Helvetia & Bristol è un hotel tipicamente fiorentino, raffinato e fuori dal tempo. Sembra quasi uscito dal romanzo di E. M. Forster *Camera con vista*, con la sua atmosfera rilassata e per niente snob.

Situato nel cuore del centro storico di Firenze, quest'edificio vecchio di centocinquant'anni ricorda, nello stile, un antico palazzo. Già prima della Grande Guerra, quest'albergo si era conquistato i favori dell'aristocrazia e di un'élite raffinata che lo preferiva segretamente a tutti gli altri. Igor Stravinsky, Giorgio De Chirico e la famiglia reale danese avevano eletto l'Helvetia & Bristol a loro residenza fiorentina, e a ragione. L'atmosfera dell'hotel è quella di una sontuosa e originalissima residenza di campagna, un simbolo di tutto ciò che Firenze può offrire: l'arte, la bellezza, la storia e l'alta cucina. Anche se le camere dell'hotel sono tutte dotate di televisione satellitare con un inimmaginabile numero di canali c'è da scommettere che, invece di piazzarvi davanti a uno schermo, preferirete contemplare la superba riproduzione della *Madonna della seggiola* di Raffaello appesa alla parete.

L'elegante cocktail-bar Giardino d'Inverno,

luogo ideale per sorseggiare una tazza fumante di tè nel pomeriggio, è ancora oggi come all'inizio del secolo scorso il luogo d'incontro preferito di molti intellettuali fiorentini. Fino alla Prima Guerra Mondiale, gli interni accoglienti superbamente arredati dell'hotel attiravano la ricca aristocrazia inglese. Appartenuto in origine a una vecchia famiglia svizzera – da qui il nome Helvetia – l'edificio aggiunse in seguito "Bristol" per darsi un'aria britannica (gli inglesi si sono sempre sentiti a loro agio a Firenze, ma non sempre con la lingua italiana!).

Oggi, soggiornare all'Helvetia & Bristol è come vivere in un luogo in cui il tempo si è fermato; in realtà, ciò che rende questo hotel tanto affascinante è il frutto dell'opera recente di due architetti. Dal 1987 Fausta Gaetani e Patrizia Ruspoli hanno instancabilmente setacciato la regione e frequentato aste, mercatini e antiquari in Italia e all'estero. Tenendo presente la doppia natura toscana e inglese dell'hotel, hanno arredato ogni singola sala e ogni camera, con tappeti, mobili e quadri che evocano lo splendore di fine Ottocento. Non c'è quindi da stupirsi che la rivista francese *Vogue Décoration* lo abbia eletto nel 1990 "L'hotel

meglio arredato del mondo". Ma l'ambiente accogliente e il calore dei suoi arredi non vi devono far dimenticare che siete a Firenze, la città dei Medici, un capolavoro d'arte unico al mondo. Il turista considera quasi un dovere visitare il più alto numero possibile di musei e monumenti; un compito tanto più facile se alloggiate all'Helvetia & Bristol, situato tra piazza della Repubblica e via Tornabuoni, a due passi dal Duomo di Brunelleschi, dall'Arno e dalle piccole gioiellerie dello storico Ponte Vecchio. Solo quando vi sentirete talmente stanchi da non riuscire più ad ammirare un qualsiasi capolavoro rinascimentale, sedetevi a un tavolino del Caffè Gilli, in piazza della Repubblica, a osservare il passeggio davanti a un Campari ghiacciato. Dopo esservi riposati potrete dedicarvi allo shopping passeggiando per le vie del centro e ammirando le boutique dei grandi stilisti quali Prada, Ferragamo, Versace e Dolce & Gabbana. Fortunatamente la giunta comunale ha deciso di trasformare il centro storico in isola pedonale ed oggi è un vero piacere passeggiare tra piazza Duomo e piazza della Repubblica senza preoccuparsi di auto, motorini e bus cittadini. Ma Firenze è anche una delle capitali della gastronomia e tutti lo sanno. Uno dei locali migliori per conoscere la cucina toscana è proprio il ristorante The Bristol. Raccolto, raffinato ed elegante con quei suoi curiosi lampadari appartenuti a un eccentrico aristocratico di Capri, propone una cucina fantasiosa tanto quanto il suo design.

Lo chêf, Francesco Casu, reinterpreta alcune tradizionali ricette toscane quali la fetunta (pane abbrustolito con aglio e olio), la classica pappa al pomodoro, pasta e fagioli, petti di piccione con spinaci e gelato al latte di mandorla. Tutti gli ingredienti sono assolutamente freschi e provengono direttamente dalla campagna toscana. Non preoccupatevi della linea: si tratta di una cucina sana, a basso contenuto calorico.

---

indirizzo Helvetia & Bristol, Via dei Pescioni 2, 50123 Firenze

t +39 (055) 287 814   **f** +39 (055) 288 353   **e** information.hbf@royaldemeure.com

tariffe a partire da 195 euro

il gattopardo

Un pezzo d'Africa che appartiene all'Italia. L'isola di Lampedusa, con una superficie di appena 20 chilometri quadrati, dista solo 113 chilometri dalla Tunisia e geologicamente è un tratto affiorante della piattaforma africana. Le sue coste offrono scenari indimenticabili: a ovest si alzano pareti di roccia a strapiombo che nascondono grotte meravigliose, rifugio ideale per cernie, aragoste, ricciole e persino rare specie marine tipiche del Mar Rosso. A oriente la fascia costiera declina gradualmente verso il mare e assume forme frastagliate nascondendo piccole insenature e cale riparate dai venti di Maestrale e Grecale. Sole, vento e mare hanno modellato la roccia dando vita a immagini fantasiose come quella del baffuto dio Nettuno che domina a nord la Punta di Taccio Vecchio e sembra far da guardiano all'isola. Tutt'intorno un'acqua cristallina di un azzurro chiaro e brillante, identico a quello delle "lagune blu" degli atolli corallini dei Caraibi. Anche senza essere esperti in immersioni, basta indossare la maschera e il boccaglio per assistere a spettacoli fuori dal comune. L'acqua è così limpida e trasparente che la luce del caldo sole africano riesce a penetrarla fino a 50 metri di profondità. Ma il vero gioiello dell'isola è la baia che ospita l'isola dei Conigli e un'incantevole spiaggia di sabbia finissima in cui si verifica un vero e proprio miracolo naturalistico. Da qualche anno, una specie di tartaruga marina in via di estinzione, la Caretta-caretta, raggiunge la spiaggia all'inizio dell'estate e vi deposita le sue uova scavando apposite buche nella sabbia. Dopo due mesi circa, verso la fine di settembre, le uova si schiudono e i piccoli vengono alla luce. L'area è oggi protetta dal WWF e i volontari presidiano la spiaggia per evitare che i bagnanti possano danneggiare in qualche modo i preziosissimi nidi. Ma non è l'unico intervento imposto dalle autorità per preservare questi ambienti naturali. Nel 1996 La Regione Sicilia ha decretato Riserva Naturale il tratto incontaminato della costa meridionale dell'isola che si estende per circa 320 ettari, classificato come sito d'interesse comunitario per la presenza di specie animali ed habitat rari o minacciati dal rischio d'estinzione: un ambiente insulare unico in tutto il Mediterraneo. L'isola è anche oggetto di un programma di rimboschimento. Pare impossibile che queste terre oggi così brulle in cui crescono solo cactus per fichi d'India e piante di cappero, fossero nell'Ottocento ricoperte da una fitta boscaglia. La responsabilità di questo "scempio" è da imputare alla colonizzazione operata dai Borboni nel 1843. In quell'anno il principe Tomasi di Lampedusa (un avo dell'autore del celebre *Il Gattopardo*) vendette l'isola a Ferdinando II di Borbone, re delle due Sicilie che vi inviò un governatore e 120 persone. Il manto vegetale fu abbattuto, l'erosione eolica e il dilavamento delle piogge fecero il resto e la resero una piattaforma di nuda roccia spazzata dai venti. Nel 1860 l'arcipelago delle Pelagie, di cui Lampedusa fa parte, fu annesso all'Italia e dodici anni dopo lo Stato fece di Lampedusa e Linosa delle colonie penali per i condannati al domicilio coatto. La storia più recente ha reso giustizia a quest'isola. Oggi è una meta turistica che offre tutto quanto cercano gli amanti del mare, del sole e del silenzio. In questa nuova prospettiva si inserisce un resort di rarefatta bellezza, situato in una posizione invidiabile sull'alto della costa: Il Gattopardo. Ogni ospite dispone di

un dammuso, la tipica costruzione rurale in pietra le cui spesse mura riparano dalle calure estive e dai forti venti. Qui si vive una vacanza a stretto contatto con la natura, con uno stile di vita semplice ma raffinato. Per visitare le calette e le grotte accessibili solo via mare, il padrone di casa organizza uscite giornaliere in barca e immersioni subacquee accompagnate da provetti istruttori. Dopo aver ammirato il tramonto infuocato, si può gustare le migliori specialità locali, tutte a base di pesce come il cous-cous di cernia, accompagnate da una bottiglia di Regaleali o Donna Fugata, due ottimi vini siciliani. Dopo cena si può raggiungere l'unico centro dell'isola e fare lo struscio in via Roma, curiosando nei negozietti o magari fermandosi in pasticceria per una fetta di cassata o un cannolo ripieno. Perché mai dovremmo spingerci fino alle Maldive quando a casa nostra esiste un'isola splendida e capace di evocare una realtà fiabesca, comodamente raggiungibile in aereo da gran parte delle città d'Italia?

indirizzo Il Gattopardo, Cala Creta, Lampedusa
t +39 (011) 818 5270 **f** +39 (011) 8178 387 **e** equinoxe@equinoxe.it
tariffe a partire da 393 euro

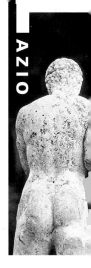

la posta vecchia

Quando avvertite l'irrefrenabile impulso di circondarvi di pregevoli opere d'arte e pezzi d'antiquariato di ogni epoca, forma e dimensione, La Posta Vecchia è il luogo che fa per voi. In nessun altro angolo d'Europa troverete tesori simili in contesti tanto suggestivi. L'uomo che in origine possedeva questo nobile edificio e che ha accumulato al suo interno una consistente varietà d'oggetti insostituibili, era davvero molto ricco: a suo tempo, infatti, J. Paul Getty figurava al primo posto nella classifica degli uomini più facoltosi del mondo. Benché Getty avesse tutte le intenzioni di trascorrere il resto della sua vita in quel meraviglioso palazzo, lo abbandonò definitivamente in seguito al rapimento del nipote. Assolutamente disgustato dall'Italia, voltò le spalle al Bel Paese per non farvi mai più ritorno. Fu così che quella straordinaria proprietà, con tutto ciò che di straordinario conteneva, fu messa in vendita. Per secoli, quest'imponente palazzo a due facciate situato a Palo, a nordovest della capitale, appartenne alla famiglia Odescalchi, che lo fece costruire nel 1640 e lo adibì prima a locanda, poi a stazione di posta ufficiale per le carrozze impiegate nel trasporto delle missive reali. Getty era in amicizia con gli Odescalchi e,

in più di un'occasione, aveva preso in affitto il castello di famiglia adiacente al palazzo. In realtà, però, a catalizzare la sua attenzione era proprio l'attigua struttura rinascimentale, per quanto male in arnese a causa di un disastroso incendio scoppiato nel 1918. Negli anni Getty fece una corte spietata alla Posta Vecchia, tentando in ogni modo di convincere il principe Ladislao Odescalchi a vendergli la proprietà; alla fine, l'indomita volontà e la proverbiale perseveranza del magnate californiano prevalsero e, nel 1960, il palazzo con una considerevole porzione di terreno passarono nelle sue mani. J. Paul Getty era un vero patito di antichità classiche, e con quel fortunato acquisto ottenne probabilmente molto più di quanto potesse sperare. Le sorprese cominciarono quando Getty ordinò di far costruire nel giardino una piscina. Le operazioni di scavo dovettero fermarsi quando furono rinvenute le rovine di una villa romana, attribuita niente meno che all'imperatore Tiberio. Una squadra di archeologi si mise subito al lavoro e lentamente fu riportata alla luce una gran quantità di reperti di vario genere. Fu allora individuata una nuova ubicazione per la piscina, e i lavori di scavo ripresero. Anche questa volta, tuttavia, le operazioni subirono quasi immediatamente una battuta d'arresto: fu rinvenuta un'altra villa romana e gli archeologi, armati di pennello e pazienza, si rimisero subito all'opera. Getty, che non era tipo da arrendersi tanto facilmente, decise di far costruire la piscina sotto il palazzo che, all'inizio dei lavori, dovette essere rinforzato con massicce travi d'acciaio. E questa volta fu scoperta una villa ancor più grande e in condizioni ancor migliori delle precedenti, con tanto di pavimenti a mosaico originali in perfetto stato, vasellame e manufatti in quantità sufficiente per allestire un museo. Tanto fece Getty che trasformò gli scavi sotterranei proprio in un museo privato di antichità romane. Quanto all'agognata piscina, Getty risolse infine di farla costruire nell'unico punto in cui era certo di non imbattersi in altre ville romane: all'interno del palazzo stesso. La piscina non è l'unica bizzarria di cui gli ospiti dell'hotel possono oggi usufruire. I fortunati che riusciranno ad aggiudicarsi la Suite Getty,

potranno dormire in un letto rinascimentale dorato, appartenuto a un membro della famiglia de' Medici. Alcune delle stanze da bagno dispongono di un camino grande quanto il focolare di una vecchia casa colonica; le vasche sono vere e proprie sculture in marmo e i rubinetti, a forma di cigno, sono laminati in oro… All'interno del palazzo ci sono ancora gli insostituibili oggetti antichi e le raffinate opere d'arte collezionate dal milardario: i busti degli imperatori Agrippa e Vespasiano con il volto in marmo bianco e la toga in pietra policroma, gli arazzi fiamminghi che adornano la biblioteca, il disegno del Piranesi nello studio. I pasti sono serviti su una bella terrazza prospiciente il mare e ogni attività si svolge entro il raggio di non più di un centinaio di metri dal palazzo e dai suoi diciassette acri di giardini. Se volete trascorrere un weekend da nababbi, la Posta Vecchia è il luogo che fa per voi. Ma attenzione: il ritorno alla vita reale potrebbe apparirvi come un doloroso risveglio…

indirizzo La Posta Vecchia, Via di Palo Laziale snc, 00055 Ladispoli
t +39 (06) 99 49 501 **f** +39 (06) 99 49 507 **e** postavec@caerenet.it
tariffe a partire da 401 euro

villa d'este

L'aggettivo "grandioso", specie se riferito a un hotel, è sempre fonte di una certa inquietudine. Grandi suite, grandi scalinate e, soprattutto, grandi prezzi possono sin troppo facilmente ridursi a un'irritante esperienza, vissuta all'insegna dell'ostentazione, più che del vero piacere. Molto spesso, infatti, il termine "grandioso" è semplicemente sinonimo di "grande e costoso", soprattutto in quei luoghi in cui il principale svago degli ospiti sembra essere quello di fare sfoggio del proprio status finanziario. Pertanto, a essere sincero, quando giunsi alla cosiddetta "Signora del Lago" ero assolutamente certo che l'avrei detestata. Dopo tutto, di Villa d'Este si è detto e scritto tanto che non pensavo ci fosse ancora qualcosa da scoprire. Villa d'Este, per quanto grandiosa, non porta tracce di quell'atmosfera fittizia – stile "parco del divertimento di lusso" – che contraddistingue altri hotel della sua categoria. Villa d'Este è grandiosa in senso totalmente positivo: nell'ambientazione, nella vista che offre e, soprattutto, nei servizi che mette a disposizione degli ospiti. Situato alle porte di Cernobbio, questo imponente palazzo neoclassico si erge proprio sulle rive del lago di Como ed è immerso in un parco rinascimentale di dieci acri. Tale ubicazione non è dovuta a una fortunata coincidenza: fu accuratamente scelta, nel XVI secolo, dal cardinale Tolomeo Gallio di Como come luogo ideale dove investire parte del patrimonio della famiglia, arricchitasi grazie all'industria della seta. Il palazzo, terminato nel 1568, nasce come luogo di svago e di raccoglimento. Il punto di forza di Villa d'Este, però, è dato dal talento – squisitamente nostrano – di saper valorizzare al massimo la natura stessa, arrivando addirittura a migliorarla. Persino la forma degli alberi locali, dalla sagoma ordinata dei cipressi alla chioma a ombrello tipica dei pini, sembra creata ad arte per enfatizzare questo tripudio di fogge. Insomma, gli stessi canoni applicati alle costruzioni – vale a dire ordine, simmetria e definizione precisa degli spazi – trovano riscontro anche nell'ambiente esterno. Avevo visto innumerevoli fotografie che ritraevano i verdi vialetti di Villa d'Este, le fontane, il bizzarro folly a mosaico dal quale si accede ai giardini che risalgono il pendio alle spalle dell'hotel; nondimeno, durante la mia visita ho avvertito l'esigenza di immortalarli a mia volta, per testimoniarne l'intramontabile bellezza. Così come intramontabile è l'architettura

dell'hotel, rimasta sostanzialmente invariata da quando Pellegrino Pellegrini di Valsolda, uno dei migliori architetti del Cinquecento, ne concepì il progetto. Ciò che più colpisce è il fatto che, nonostante le considerevoli dimensioni dell'edificio (130 stanze), gli interni abbiano conservato tutta l'atmosfera e lo stile propri di una villa privata. Roberta Droulers, architetto d'interni e moglie di Jean-Marc Droulers, attuale direttore generale dell'hotel, ha attinto allo spirito delle numerose ville disseminate sulle pittoresche rive del lago di Como per emulare l'*ambience* di una residenza estiva patrizia. Alle stoffe create su misura dalle note tessitorie Rubelli di Venezia e Ratti di Como, la Droulers ha affiancato pezzi d'antiquariato, specchi e intarsi al fine di ricreare il genere di collezione che una famiglia può accumulare nell'arco di secoli. In linea con le influenze orientali che un tempo predominavano nella produzione lariana della seta, le stanze ricordano una tavolozza di colori in cui convivono

armoniosamente il giallo Marocco, il turchese, il violetto, il verde salvia e l'azzurro pavone. Indubbiamente alcune stanze risultano più belle di altre, proprio come accade per le abitazioni private, ma in fondo è proprio questa caratteristica a rendere Villa d'Este tanto speciale. D'altro canto, non esistono abitazioni in grado di offrire servizi lontanamente paragonabili a quelli forniti da Villa d'Este: vi sono ben due piscine, una al coperto e l'altra galleggiante niente meno che sul lago; scintillanti motoscafi in mogano, legati a caratteristici paletti a strisce rosse e blu, si possono ammirare dalla terrazza prospiciente il lago e gli appassionati di tennis possono giocare sui numerosi campi dislocati nei giardini della villa. Approfittando delle giornate nuvolose, i clienti possono usufruire di un attrezzato centro benessere, oppure dedicarsi allo shopping negli eleganti negozi della città. Insomma, Villa d'Este è un luogo davvero unico nel suo genere, da cui si riparte a malincuore quando il dovere chiama.

indirizzo Hotel Villa d'Este, Via Regina 40, 22012 Cernobbio, Lago di Como

t +39 (031) 3481 **f** +39 (031) 348 844 **e** info@villadeste.it

tariffe a partire da 260 euro

villa feltrinelli

Durante la Repubblica di Salò, Villa Feltrinelli divenne tristemente nota come la Villa del Duce. Mussolini, infatti, vi alloggiò per circa un anno e mezzo, tenuto sotto stretta sorveglianza dalle SS tedesche. Tuttavia, la villa non fu mai di proprietà del duce il quale, peraltro, non vi apportò alcuna modifica strutturale o d'altra natura. La storia di questo palazzo è invece strettamente legata alla famiglia Feltrinelli, che lo fece costruire alla fine del XIX secolo. I Feltrinelli avevano accumulato la loro fortuna grazie all'industria del legname. Alla fine del 1800, acquistarono un'incantevole proprietà immobiliare sul lago di Garda, alle porte del pittoresco paesino di Gargnano, dove fecero erigere un elaborato castello neogotico, perfettamente in linea con la portata del loro patrimonio. Si fecero realizzare su misura un incredibile assortimento di mobili in stile neogotico, utilizzando diversi legni esotici pregiati. Per completare l'opera, ordinarono che fossero costruite una rimessa per imbarcazioni, una dependance per gli ospiti e un'immensa limonaia. Ma i Feltrinelli non si fermarono qui. Dal commercio del legno, allargarono i loro interessi prima all'industria della carta e, in seguito, all'editoria: molti capolavori della letteratura mondiale del XX secolo furono scoperti e pubblicati proprio dalla nota casa editrice. Tuttavia, l'entrata nel mondo progressista della prosa non era certo scevra da rischi per una dinastia di capitalisti. La splendida villa sul lungolago dovette essere messa in vendita. Il suo destino si presentava, però, incerto: per le sue dimensioni e gli impianti di cui era attrezzata, Villa Feltrinelli era stata a lungo una perfetta residenza estiva per la facoltosa famiglia, ma i tempi erano cambiati e, ormai, era divenuta troppo grande e costosa per gran parte dei possibili acquirenti. La proprietà fu acquistata nel 1981 dalla bresciana Immobiliare Regalini che però, dopo qualche anno, la rimise sul mercato. Fu allora che entrò in scena il celebre proprietario della catena Regent, Bob Burns. Il ricco imprenditore aveva appena ceduto i suoi hotel al gruppo Four Seasons – compresa la magnifica proprietà milanese, fiore all'occhiello della prestigiosa catena alberghiera – ed era alla ricerca di un luogo di quiete dove godersi la pensione e il cospicuo patrimonio. S'innamorò di Villa Feltrinelli nell'istante esatto in cui la vide. Fin da subito, tuttavia, si resero necessarie alcune opere di ristrutturazione che Burns probabilmente

non aveva messo in conto, a cominciare dal consolidamento della struttura dell'edificio. Poi fu la volta dei problemi burocratici legati agli interni della villa: ogni singolo componente dell'arredamento, mobili inclusi, era protetto dalle Belle Arti.

Quando il budget preventivato per i lavori superò la soglia dei trenta milioni di dollari, Mr Burns, da vero professionista qual era, decise che sarebbe stato più proficuo, in un'ottica finanziaria, modificare i suoi piani e trasformare la villa in un hotel. La sua determinazione, e le sue capienti tasche, hanno dato i loro frutti.

Nel settore alberghiero, Villa Feltrinelli rappresenta decisamente un mondo a parte, poiché racchiude in sé tutta la carica seduttiva dei resort Aman (il cui fondatore, Adrian Zecha, ha collaborato a lungo con Burns, in passato), il tocco magico di George Rafael (il re delle ambientazioni, anch'egli ex collaboratore di Burns) e l'unicità di un luogo non già concepito come hotel. Insomma, la villa è da considerarsi perfetta sotto "quasi" tutti i punti di vista. Il team creativo di Burns è riuscito a ravvivare gli interni, alquanto austeri, di Villa Feltrinelli rendendoli colorati, divertenti e moderni, ma senza privarli della loro *grandeur*. Giacché la disposizione originaria degli interni non è stata alterata, le stanze degli ospiti sono esattamente come ci si aspetta che siano… enormi.

Ma allora perché Villa Feltrinelli sarebbe solo "quasi" perfetta? Perché, ai tempi della mia visita, Bob Burns stava ancora aspettando la consegna del motoscafo in mogano che aveva richiesto. Ispirandosi alle vecchie imbarcazioni veloci che, negli anni Venti, facevano la spola tra la Grande Mela e Long Island per portare i magnati newyorchesi sul luogo di lavoro, Burns ha avuto l'idea di impiegare il motoscafo per accompagnare gli ospiti dell'hotel a Verona, dove possono vedere l'Opera e poi gustarsi, durante il viaggio di ritorno, una romantica cena al chiaro di luna davanti ad una coppa di champagne.

indirizzo Grand Hotel a Villa Feltrinelli, 25084 Gargnano, Lago di Garda
t +39 (0365) 79 8000 **f** +39 (0365) 79 8001 **e** grandhotel@villafeltrinelli.com
tariffe a partire da 425 euro

hotel fortino napoleonico

L'Italia abbonda di luoghi storici che, con il tempo, sono stati trasformati in residenze alberghiere: monasteri, castelli, palazzi d'epoca, villaggi di pescatori, vecchi mulini, ville. Ma, tra tutti, ve n'è uno particolarmente improbabile ricreato in una vecchia caserma militare. Neanche il più primitivo dei tuguri riuscirebbe ad evocare un'immagine meno allettante. Come ebbi tuttavia modo di scoprire, non si tratta di una semplice caserma. Il Fortino Napoleonico fu costruito a ridosso della più bella spiaggia della Riviera del Conero e si erge con fierezza su un maestoso promontorio alberato, la cui parete calcarea si protende nelle tranquille acque del mar Adriatico, sporgendosi sull'animata città di Ancona. Senz'altro, la piccola penisola circondata oggi da un parco nazionale, era in passato ben presidiata, protetta com'era ai due lati rispettivamente da un batifredo medievale e dal mare. A rendere tanto speciale questo luogo, tuttavia, non è solo la posizione o l'incantevole vista di cui gode. Come ben sanno gli appassionati di storia, Napoleone era sì un buon soldato, ma anche un inguaribile vanesio che attribuiva enorme importanza alle uniformi, all'architettura e ai monumenti; le insegne dei soldati delle sue divisioni,

per esempio, erano studiate con estrema cura fin nei minimi dettagli. Si potrebbe affermare che le divise dell'esercito di Napoleone erano così raffinate e pregevoli da non trovare eguali nel mondo. È ovvio, dunque, che Bonaparte non avrebbe mai tollerato che i suoi "dandy" in uniforme alloggiassero in una stamberga qualsiasi; e di certo questo fortino, costruito a forma di "lanterna" napoleonica, finemente mattonato e incappucciato da pietre a contrasto, una stamberga non lo è mai stato. Napoleone inviò persino suo cognato e viceré d'Italia, Eugenio di Beauharnais, a supervisionare l'opera di costruzione, completata tra il 1811 e il 1813. Il fortino fu costruito sulla spiaggia di Portonovo, allo scopo precipuo di impedire alle ciurme della flotta inglese di approdare sulla costa con scialuppe d'appoggio per rifornirsi d'acqua di sorgente, rompendo in tal modo il blocco continentale. Si tratta di un forte alquanto eccentrico, eretto per un altrettanto eccentrico imperatore: alla luce di queste considerazioni, l'idea di farne un hotel non appare più, tutto sommato, così inverosimile. Delle vicissitudini di questo presidio "su misura" non si hanno che notizie frammentarie dopo il secondo esilio di Napoleone, poiché gran parte della

Uno scorcio dell'elegante portale
d'accesso alla fortezza napoleonica
costruito con la forma di una "lanterna"

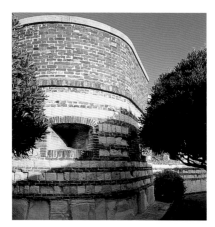

Un forte dentro al forte. L'antico
deposito delle munizioni accoglie oggi
le stanze degli ospiti

L'ospitalità è semplice ma adeguata.
Poche le finestre, giacché ci troviamo
dentro a una fortezza

La prima colazione è servita nel bel
cortile interno, che si cela dietro le
massicce mura del presidio

Le spesse mura delle accoglienti
camere proteggono gli ospiti
dai rumori e dalla calura estiva

Il presidio fu eretto da Napoleone per
impedire alla marina inglese l'accesso
alle sorgenti d'acqua dolce

documentazione raccolta nel periodo postnapoleonico era conservata in un monastero andato poi distrutto. Tuttavia, ciò non ha gran rilevanza, dal momento che l'edificio non ha subito modifiche architettoniche di sorta. Le camerate dei soldati, arredate con letti a castello, sono state sostituite da belle stanze con servizi privati; nella guarnigione è stata allestita la sala ristorante e sul tetto, dove una volta si trovavano i cannoni, è servita la cena in estate. Le pareti sono talmente spesse da non far passare il benché minimo rumore… né tantomeno la calura estiva (in ogni caso tutte le stanze sono climatizzate). Insomma, sorprende costatare come una caserma fortificata possa felicemente trasformarsi in un hotel d'ottimo livello; e dal momento che il fortino fu concepito come osservatorio privilegiato sul mare, oggi è l'ospite a beneficiare di tale vantaggio. I panorami suggestivi, la storicità della struttura (l'edificio è sotto il vincolo delle Belle Arti), l'ubicazione all'interno di un rigoglioso parco protetto, infine, il clima favorevole della costa Adriatica, sono i fattori che rendono la proposta davvero allettante. Le Marche poi, sono una regione che ha molto da offrire: città d'arte, affascinanti borghi medievali, ampie spiagge e la natura incontaminata dei Monti Sibillini, una barriera di calcare che nel suo tratto più meridionale divide l'Umbria dalle Marche. Dalle ondulate colline umbre ci si addentra in un paesaggio alpino, fatto di valli nascoste e gole naturali scavate dai torrenti che risalgono la montagna, a tratti fra pareti vertiginose distanti appena qualche metro. Sono "i monti azzurri" che Leopardi fanciullo immaginava di varcare e che, nei secoli, hanno incantato schiere di viaggiatori, dando origine a leggende come quella della Sibilla e del suo antro in cima all'omonimo monte o del piccolo lago che, si dice, avrebbe accolto il corpo di Ponzio Pilato. Mare, arte e montagna… almeno tre ragioni per trascorrere un'incantevole vacanza che saprà di certo sorprendervi.

indirizzo Hotel Fortino Napoleonico, Via Poggio 166, 60020 Portonovo di Ancona

t +39 (071) 801450 **f** +39 (071) 801454 **e** fortino@fastnet.it

tariffe a partire da 145 euro

four seasons

Provate ad immaginare: acquistate un palazzo e poi scoprite che un tempo era un convento... Ecco cosa accadde ad un famoso imprenditore nel settore alberghiero, Bob Burns. Dopo aver collaudato nel Sudest asiatico la formula dei Regent Hotels — un giusto mix di condiscendente sontuosità ed efficienza professionale — la società era pronta a proporsi sul mercato europeo. La città scelta per questa nuova filiazione fu Milano, in parte perché Burns ama l'Italia e in parte perché la metropoli aveva bisogno di un hotel del genere. Nonostante Milano sia uno dei maggiori centri commerciali del Nordeuropa — in particolare nei settori della moda e del design — non si può certo affermare che, in fatto di ricezione alberghiera, sia sempre stata al passo con le showroom dei grandi stilisti e con i celebri ristoranti tanto osannati dalla stampa nazionale ed estera. Se paragoniamo i due mondi, quello della moda e quello degli alberghi, viene da chiedersi quale hotel milanese rispecchi l'elegante semplicità di Armani o lo stile barocco da rockstar di Dolce & Gabbana. Manager e buyer stranieri di passaggio a Milano per la fiera del mobile o per le sfilate di moda faticavano a trovare strutture ricettive in linea con le attività

che svolgono. Ed era proprio questo gap che il Regent si proponeva di colmare. L'immobile scelto era perfetto perché si trovava in via Gesù, tra via Montenapoleone e via della Spiga, le strade su cui si affacciano le vetrine dell'alta moda milanese, in una zona chiusa al traffico e molto tranquilla (a parte i forzati dello shopping, che si fanno faticosamente strada carichi di borse e pacchetti). Dal punto di vista architettonico l'edificio faceva la sua discreta figura: si trattava di un palazzo ben costruito, che aveva certo bisogno di essere rinfrescato, ma niente di più... Almeno questo si pensava finché il progetto rimase sulla carta. Erano trascorsi soltanto due mesi dall'inizio della ristrutturazione, quando i lavori subirono una brusca battuta d'arresto. Furono rivenute alcune colonne in granito insieme a degli affreschi di soggetto religioso, e un esercito di archeologi si precipitò sul luogo. La scoperta fu a dir poco stupefacente: quel palazzo, proprio nel cuore della città e in cui si erano succedute generazioni e generazioni, era un tempo un convento, costruito nel XV secolo e dedicato a Santa Maria del Gesù (il che spiega il nome della via). Si dovette ricominciare tutto da capo: il progetto tornò alla sua fase iniziale, i costi lievitarono spaventosamente e i pennelli degli archeologi presero il posto dei martelli pneumatici dei muratori, almeno finché gli affreschi non furono accuratamente portati alla luce. L'architetto Luca Meda ebbe la felice intuizione di ricavare gli spazi comuni (cucine, uffici, magazzino) sotto al chiostro originale del convento, in modo da preservare gli originali soffitti a volta in molte camere dell'hotel. L'entità dei lavori e la relativa spesa superarono qualsiasi aspettativa, ma alla fine Bob Burns e il suo gruppo furono ricompensati. La valorizzazione storica dell'antica architettura claustrale da parte di Meda, unita all'estro di Pamela Babey nell'armonizzare il design italiano contemporaneo con alcuni selezionati pezzi d'antiquariato, hanno dato grandi risultati. Il Four Seasons è il primo hotel di Milano che, in epoca recente, è riuscito a esprimere il carattere singolare della città che lo ospita: una commistione di storia, cultura e modernità al passo con i tempi. Poco prima della data fissata per l'apertura, Burns cedette la catena Regent Hotels al gruppo Four Seasons, e l'antico convento che aveva preso nuova forma in un albergo spalancò le porte ai nuovi ospiti. Il bel mondo della moda, dei media, della pubblicità e del cinema, nonché famosi imprenditori, hanno risposto favorevolmente e in breve tempo il Four Seasons è diventato l'hotel per eccellenza di Milano. Infatti, vi si registra il tutto esaurito per gran parte dell'anno e, in occasione delle settimane della moda in ottobre e in febbraio, è necessario prenotare con oltre sei mesi d'anticipo. Inaugurato ormai da una decina d'anni, lo stile non è più così "fresco", ma la forza dell'albergo non è da ricercare nel suo impatto estetico. Nessun'altra struttura alberghiera può competere con il Four Seasons in fatto di dislocazione e servizi offerti. Il Teatro, uno dei due ristoranti dell'hotel, è un punto di riferimento e attrae una folta clientela, anche locale, segno inequivocabile dell'alto livello qualitativo raggiunto dalla sua cucina.

indirizzo Four Seasons Milan, Via Gesù 8, 20121 Milano

t +39 (02) 77088 **f** +39 (02) 7708 5004 **e** milano@fourseasons.com

tariffe a partire da 470 euro

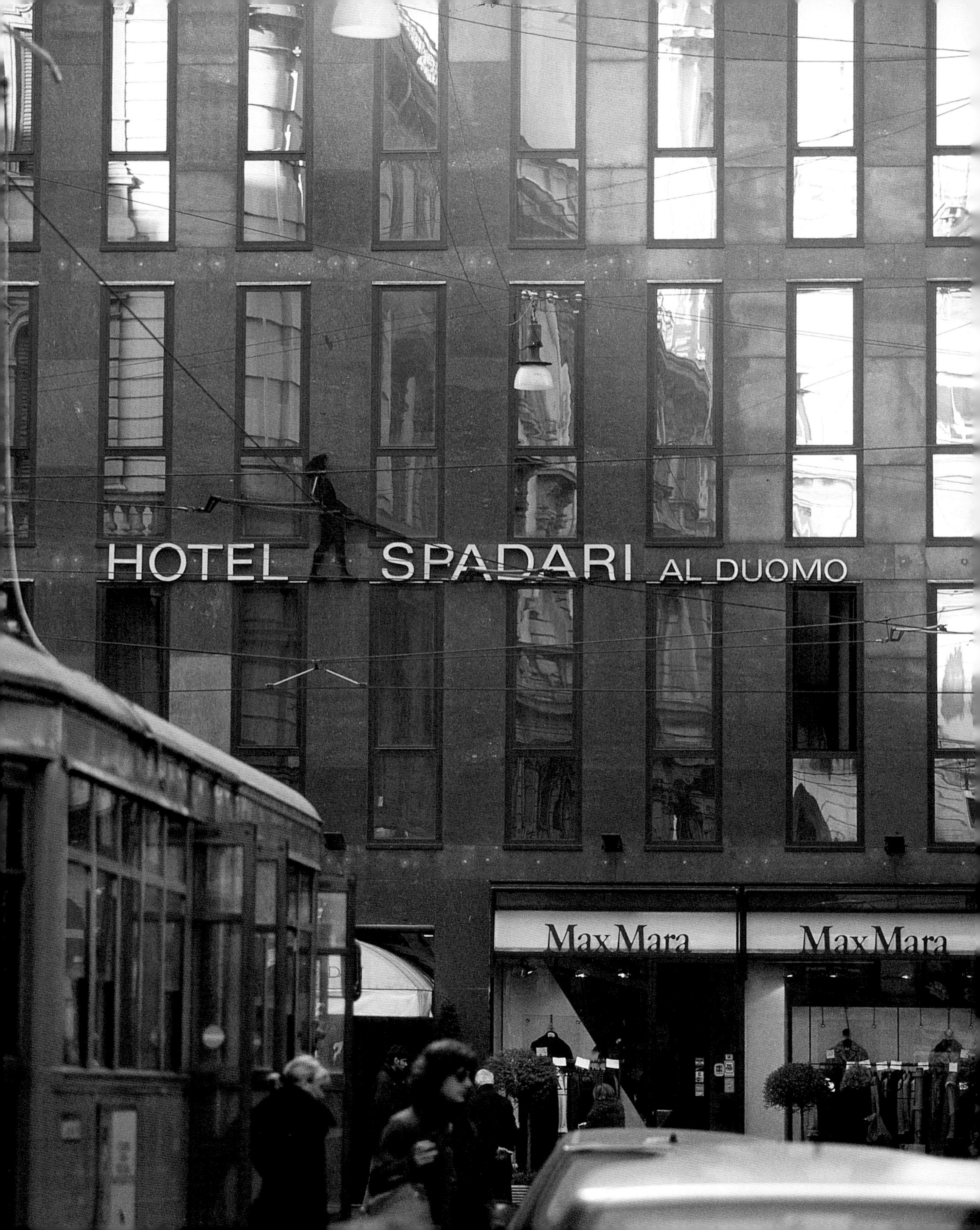
HOTEL SPADARI AL DUOMO
MaxMara
MaxMara

spadari al duomo

Milano non è una città turistica in senso stretto. Venezia, Firenze, Roma… questi sono i luoghi che i turisti stranieri bramano. E Milano? È vero, migliaia di persone frequentano gli aeroporti internazionali e le stazioni ferroviarie, ma solo per poche ore, giusto il tempo di imbarcarsi verso destinazioni più "esotiche", per salire su un treno diretto in Toscana o nelle vicine località climatiche lacustri, o ancora per raggiungere i centri sciistici alpini. Le industrie e il traffico hanno deteriorato la qualità dell'aria di Milano, il boom edilizio degli anni Cinquanta e l'esigenza di creare alloggi per gli immigrati del Sud in cerca d'occupazione nelle grandi fabbriche hanno alterato l'architettura cittadina (in particolare nella periferia). I milanesi, si sostiene, pensano solo al lavoro e la loro è una mentalità tipica da Nord Europa. Ciò detto, Milano resta comunque la capitale finanziaria del Paese e, pertanto, di visitatori ne riceve moltissimi ogni giorno. Spesso, gli uomini d'affari stranieri scelgono un grande hotel a quattro o cinque stelle nella grigia e trafficata piazza della Repubblica (dove si concentrano gli alberghi delle più importanti catene internazionali), ordinano la cena in camera invece di avventurarsi in qualche ristorante per assaporare la cucina locale, l'indomani chiamano un taxi e ripartono con la convinzione che le grandi città siano tutte uguali. Peccato! In questo modo ci si preclude la possibilità di frequentare ottimi locali, visitare monumenti storici, apprezzare l'architettura moderna e ammirare le vetrine delle boutique d'alta moda… eppure tutto è lì, a portata di mano. Non occorre coprire grandi distanze, basta fare qualche passo a piedi e raggiungere la zona nei pressi del Duomo; perché non fermarsi da Cova, l'elegantissima sala da tè in via Montenapoleone, per un espresso o un cappuccino facendosi tentare dalle crostate ai frutti di bosco che fanno bella mostra di sé sul bancone. Per l'aperitivo, il classico Camparino, meglio dirigersi in corso Vittorio Emanuele II o sotto la cupola in vetro dell'omonima galleria lastricata a mosaico che ospita, oltre a vetrine e ristoranti, la celebre effige del toro. Secondo la tradizione, schiacciare con il tacco i suoi testicoli porterebbe fortuna (infatti il pavimento in quel punto è più logoro). Quanto alla cucina, qualsiasi milanese è pronto a giurare che sia la più saporita d'Italia: risotto allo zafferano, ossobuco, cotolette alla milanese, trippa (detta anche busecca) e cassoeula di carne di maiale cotta con verze. Se si vuole provare l'esperienza della cucina meneghina, è meglio girare alla larga dalle pizzerie o dalle trattorie toscane e prenotare un tavolo al Don Lisander, nascosto nel cortile di una villa cinquecentesca in via Manzoni o alla più rustica Osteria del Tubetto, lungo il Naviglio Pavese. Insomma, godersi Milano non è poi così difficile… certo, alloggiare in centro aiuta molto e l'hotel Spadari al Duomo rappresenta un'ottima scelta. Come suggerisce il nome, l'albergo si trova a un tiro di schioppo dal capolavoro gotico che molti considerano il cuore della città. Quest'imponente cattedrale in marmo bianco di Candoglia vanta ben 135 guglie e oltre 3000 statue, ed è tra le più grandi d'Europa; la consuetudine dei milanesi di definire "fabbrica del Duomo" ogni attività che richiede tempo e sforzi prolungati si riferisce al fatto che, dalla posa della prima pietra nel lontano 1396, i lavori non si sono mai fermati; basti pensare che il monumentale portone in bronzo è stato completato solo nel 1965, e ancor oggi è difficile vedere la cattedrale completamente priva d'impalcature. La fiammeggiante architettura della principale attrazione di Milano offre un ottimo contrappunto all'inflessibile modernità dell'hotel Spadari: vero e proprio punto di riferimento per il mondo della moda, l'albergo è stato concepito secondo il tema dominante del "convivere con l'arte". Ogni stanza è arredata con pezzi unici scelti dall'artista-designer Ugo La Pietra; la hall ospita un camino creato dal grande scultore Giò Pomodoro e la sala per la colazione è ricavata in una galleria di ceramiche italiane contemporanee impreziosita da affreschi pastello di Valentino Vago. Gli interni delle 38 stanze di quest'elegante hotel sono l'evidente testimonianza di una città che si riconferma la capitale mondiale del design. La Scala, la Borsa e le vie dello shopping sono a pochi passi, ma in questo luogo ci si può rifugiare dopo una giornata indaffarata, sicuri di ritrovare una dimensione pacata e meditativa.

---

indirizzo Spadari al Duomo, Via Spadari 11, 20123 Milano

t +39 (02) 72002371 **f** +39 (02) 861184 **e** reservation@spadarihotel.com

tariffe a partire da 198 euro

l'albergo del purgatorio

"Animato di giorno, piuttosto sinistro di notte". Quando tutte le guide turistiche, comprese quelle che si dilungano in elenchi di chiese e palazzi da visitare, si esprimono in questi termini, credete a me, è il caso di preoccuparsi. I quartieri spagnoli sono una delle zone più densamente popolate di Napoli, in cui si dipanano stretti vicoli "addobbati" con panni stesi alle finestre, che sventolano come variopinte bandiere. A detta degli stessi napoletani, non è proprio il genere di luogo in cui è salutare passeggiare con un Rolex al polso. D'altro canto è anche di gran lunga il rione più affascinante ed eccitante, con la maggiore densità di popolazione di tutto il territorio nazionale. Qualcuno potrebbe pensare che la scelta di quest'ubicazione sia quantomeno bizzarra, ma credetemi, in questa vecchia parte della città è impossibile annoiarsi perché ovunque posiate lo sguardo vi sono palazzi, chiese, piccole cappelle private, cortili e giardini nascosti. L'atmosfera è arabeggiante e ricorda un po' quella di Marrakesh. Ad un'occhiata superficiale sembra un luogo sporco e délabré, che può dare sui nervi, ma dietro quest'apparente facciata si nasconde un patrimonio artistico e umano che vale la pena conoscere. È questa costante

sensazione di scoperta, la continua tensione emotiva a rendere il vecchio quartiere così intrigante. Il termine "tensione" è spesso usato quando si parla d'arte moderna, vi si ricorre nel descrivere un'opera che ci piace, che ci colpisce pur facendoci sentire leggermente a disagio. È proprio la "tensione" a rendere l'arte incisiva, e questo vale tanto per la Napoli vecchia quanto per la sua più recente acquisizione: l'Albergo del Purgatorio. Con un nome simile, è chiaro che siamo lontani anni luce da un complesso alberghiero tradizionale del genere Holiday Inn; definirlo un albergo in fondo è un azzardo, si tratta piuttosto di una sorta di istallazione d'arte in cui si può anche dormire. Il Purgatorio ha sede in un palazzo straordinariamente bello e nasce da un'intuizione della parigina Nathalie de Saint Phalle (suo marito è il nipote dell'artista Niki de Saint Phalle) che ha affidato all'architetto Laura Occelli l'arduo compito di progettarne la conversione. L'edificio rappresenta il vertice massimo raggiunto dalla stravaganza partenopea. I soffitti delle stanze sono incredibilmente alti, la scalinata in pietra vanta soffitti a volta, la corte è pavimentata in nera pietra lavica e il giardino privato si cela dietro a una corte segreta. È allo stesso tempo

Gli interni stravaganti e d'impronta
hippy aggiungono una nota di colore
all'austera sobrietà del palazzo

L'hotel ha sede in un palazzo molto
raffinato, proprio nel cuore
della vecchia Napoli

Il progetto si lega a una fantasia della
mente, un ricco viaggiatore costretto
a disfarsi della sua collezione d'arte

Fasti dell'epoca in cui Napoli era una delle città più ricche ed eleganti del Mediterraneo rieccheggiano nel palazzo

Il MOMA s'incontra a Marrakesh: gli interni mescolano con tono irriverente arte moderna e atmosfere etnico-tribali

La terrazza dell'hotel si affaccia su un vicolo della vecchia Napoli, sembra di stare dentro un film con Sophia Loren

grandioso, sconcertante, sinistro e seducente. Le stanze per gli ospiti variano incredibilmente l'una dalle altre in ampiezza e design e i bagni sono compresi negli spazi più impensabili. L'arte è parte integrante dell'Albergo del Purgatorio, è la struttura portante dell'edificio stesso, così come per gli altri hotel lo sono le porte, le pareti, i pavimenti. Secondo la Saint Phalle il progetto si lega a una fantasia, l'immagine di un ricco americano (l'ispirazione è tratta dal film *Intrigo internazionale* interpretato da Cary Grant), che lascia le chiavi del suo palazzo ad amici e conoscenti ed è costretto a vendere parte della sua vasta collezione d'arte perché ormai non ha più spazio per conservarla. Non è quindi una coincidenza che gli ospiti del Purgatorio possano acquistare le opere d'arte esposte e che si sentano "parte di una famiglia", visto che per soggiornare al Purgatorio bisogna essere iscritti al suo club. Le tariffe proposte non sono poi così proibitive e in un arco di tempo piuttosto breve sono previste altre "succursali" a Palermo, Istanbul, Sarajevo e al Cairo. Il fatto più importante è che l'Albergo del Purgatorio è assolutamente unico nel suo genere, ha carattere e personalità, due qualità scarsamente richieste in questi anni. La hall ricorda il salone di un ricco collezionista giramondo con un senso dell'humor e un gusto un po' zingaresco e trasgressivo. Immaginatevi J.Paul Getty nella Marrakesh degli anni Sessanta e vi sarete fatti un'idea più precisa. Nell'arredamento non si è giocata la carta "storica" per rispetto al passato del palazzo, gli interni sono irriverentemente moderni, senza alcuna traccia di minimalismo o un qualsiasi tentativo di ordine o disciplina. Il grande dilemma è il seguente: vi sono sufficienti persone interessate a soggiornare in un quartiere che le guide descrivono come bassifondo? Io credo di sì. Questa vecchia zona della città è irresistibile ed è stata recentemente riscoperta dal turismo, colpevole di averla trascurata per un periodo di tempo troppo lungo.

indirizzo L'Albergo del Purgatorio, Palazzo Marigliano 39, Via San Biagio dei Librai, 80138 Napoli

t +39 (081) 551 66 25 **f** +39 (081) 29 95 79

tariffe a partire da 77 euro

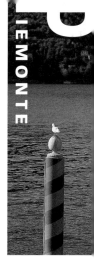

hotel pironi

Il lago Maggiore ha fama di essere il più romantico dei laghi lombardi (bisogna però precisare che la fascia costiera nordoccidentale appartiene al Piemonte) e per un secolo intero è stato il rifugio preferito di artisti, poeti e scrittori. Questo non ci sorprende perché le rive sono costellate di pittoreschi paesini in cui soggiornare. Ville e palazzi furono costruiti in gran parte per la villeggiatura delle facoltose famiglie milanesi e oggi sono stati convertiti in lussuosi alberghi. Lo charme del lago, tuttavia, si paga a caro prezzo e se la cifra che avete in mente di spendere è decisamente più contenuta, trovare un luogo che sia tanto affascinante quanto carico di storia diventa già un bel problema. Tuttavia esiste una validissima eccezione a questa regola: l'Hotel Pironi nella cittadina di Cannobio, non lontano dal confine con la Svizzera. Si tratta di un luogo idilliaco, con le sue vie selciate di ciottoli e le casette che ricordano quella della favola di Hansel e Gretel, con travi di legno a vista color ocra e terracotta e tetti di ardesia. In una posizione incantevole, affacciata sul lago contro lo sfondo di un magnifico scenario alpestre, da sempre Cannobio ha attratto una gran quantità di viaggiatori. Le sue ripide stradine scendono fino alle rive del lago, dove

eleganti caffè invitano a una piacevole sosta per guardare il viavai dei traghetti e delle piccole imbarcazioni. L'Hotel Pironi era un ex convento quattrocentesco di frati francescani e, come questi devoti discepoli della Cristianità dimostrarono nei secoli, la loro ricerca di luoghi in grado di ispirare alti ideali spirituali li trasformò, all'epoca, in efficienti esploratori capaci di scovare ambienti e paesaggi di primissimo ordine. Situato sull'altura di una collina, nel punto esatto in cui due vialetti si incontrano e formano una piazzetta con una fontana e un pozzo, l'Hotel Pironi è un esempio di straordinaria semplicità monastica. Dalle finestre delle sue facciate convergenti che conferiscono all'edificio una struttura cuneiforme, si gode una delle più belle viste sul lago. Basterebbe da sola la sua fantastica posizione per fare di quest'albergo un grand hotel – un potenziale che non era certo sfuggito ai proprietari, la famiglia Albertella, quando fu presa la decisione di restaurarlo e di aprire le porte agli ospiti paganti. Tuttavia fu la generazione successiva a capire che un design più moderno e un certo stile avrebbero conferito all'hotel una personalità più incisiva. Massimo Albertella e sua moglie hanno deciso di conservare tutti gli

L'Hotel Pironi è ospitato in un ex convento, uno degli edifici più suggestivi e raffinati di Cannobio

Cannobio si affaccia su uno dei tratti più suggestivi del lago Maggiore, vista di cui godere per ore seduti in un caffè

La stanza al primo piano, semplice e disadorna, possiede una balconata che vanta frammenti di affreschi originali

Tracce di antichi affreschi con temi religiosi rivelano l'originaria funzione monastica dell'edificio

Il lago Maggiore è un luogo storico di grande fascino, benedetto da splendidi scorci panoramici e da un clima mite

Nell'albergo, gestito dai proprietari, l'austerità claustrale si sposa a un design d'interni più moderno

elementi storici della precedente struttura claustrale e di concentrarsi sulla decorazione d'interni. Oggi l'Hotel Pironi armonizza con successo affreschi medievali, mobili moderni, soffitti a volta, antiche colonne in pietra e un impianto d'illuminazione figlio dei nostri tempi. La sala per le colazioni da sola è una vera rivelazione. L'intero spazio, dichiarato monumento nazionale, è letteralmente coperto da cima a fondo di affreschi dipinti nei toni del blu scuro con punte di rosso, giallo e verde. Per far risaltare un simile capolavoro la sala in sé è piuttosto semplice, anche se assolutamente intima. La commistione di un composto stile moderno e di ispirati pezzi d'antiquariato si ripropone nelle camere per gli ospiti. I bagni sono moderni senza essere banali: scintillanti piastrelle a disegno geometrico di un forte giallo ambra danno risalto all'ambiente. I mobili delle camere da letto, in legno scuro, sono semplici e disadorni, ma perfettamente in linea con il paesaggio alpestre. Una delle stanze vanta un bel terrazzo con il soffitto a volta in cui vi sono tracce di affreschi religiosi e una balaustrata di imponenti colonne di pietra, che un tempo marcavano il piano superiore del convento. Considerando l'architettura, gli interni e la posizione, il Pironi ha tutte le carte in regola per offrire un'esperienza memorabile, e non sorprende che nell'arco dell'anno registri il tutto esaurito. Le stagioni a Cannobio sono segnate dalla presenza delle diverse nazionalità di turisti. I tedeschi preferiscono trascorrere qui le loro vacanze nei mesi di luglio e agosto, i francesi accorrono all'inizio della primavera e dell'autunno e gli svizzeri prenotano il loro soggiorno quando il resto d'Europa è già tornato a casa. Gli italiani, com'è prevedibile, sono più numerosi in agosto. Il lago, con le sue coste frastagliate, le prealpi sullo sfondo, le sette isole che affiorano in vari punti del bacino, gli ameni paesini e il clima mite, è un luogo di grande suggestione che conserva ancora intatto il fascino d'altri tempi.

indirizzo Hotel Pironi, Via Marconi 35, 28822 Cannobio

t +39 (0323) 706 24 **f** +39 (0323) 721 84 **e** info@pironihotel.it

tariffe a partire da 70 euro

albergo da giovanni

Il contrasto non potrebbe essere più marcato. Mentre Portofino vive all'insegna del lusso e dell'ostentazione più sfrenata San Fruttuoso, a soli 20 minuti di navigazione lungo la costa, è un luogo di raccoglimento che annovera una chiesa, un'abbazia, una torre di guardia medievale, tre case e il ristorante da Giovanni. Non ci sono negozi o vetrine scintillanti, e neppure turisti prima delle 10 del mattino e dopo le 6 del pomeriggio. Infatti, l'unico modo per raggiungerla è via mare, con i battelli che partono da Camogli o da Portofino. Posto recentemente sotto l'egida del FAI, il Fondo per l'Ambiente Italiano, non è propriamente un luogo ancora da scoprire: soprattutto in agosto, quando decine di gitanti si riversano sul fazzoletto di spiaggia incastonato nella splendida baia. Ma di sera, quando anche l'ultima imbarcazione ha alzato gli ormeggi, il piccolo villaggio marinaresco riacquista la pace e torna a ritmi di vita più naturali. Le trattorie, le cantine, i bar ricavati in anfratti o in spazi angusti tra le rocce chiudono i battenti ed è allora che bisogna recarsi da Giovanni. Si comincia con un piatto di spaghetti agli scampi, per proseguire con polipetti cotti in forno al vino rosso e salsa di noci. Se non vi piace il pesce siete un po' nei

guai, perché in questo locale non servono altro. Al contrario, se la cucina di mare è tra le vostre preferite converrete con me che la qualità dei piatti di Giovanni è notevolmente superiore rispetto ai ristoranti, costosissimi e decisamente ordinari, che si allineano lungo il porticciolo di Portofino. San Fruttuoso vanta una storia molto importante. L'abbazia, che denota un'influenza bizantina, fu abitata dai monaci benedettini fino al 1500. Si narra che, quando la Spagna fu invasa dai mori, Prospero, vescovo di Tarragona, scelse questo luogo come sito ideale in cui erigere una chiesa e nascondervi le reliquie del martire Fruttuoso. L'imponente torre di guardia che fiancheggia l'edificio fu eretta nel 1562 dall'ammiraglio genovese Andrea Doria che, in cambio del giustopatronato su quel lembo di terra, aveva promesso a papa Giulio III di proteggere l'abitato e l'abbazia dai pirati. Il primo ad aprire una piccola locanda per offrire ospitalità ai pellegrini che visitavano l'abbazia e la tomba di Andrea Doria fu un tal Lorenzo Bozzo, seguito dal figlio Giovanni. Verso la fine del XVI secolo, quando anche l'ultimo frate lasciò San Fruttuoso, alla famiglia Bozzo fu concesso di suddividere l'abbazia in alloggi. Per i successivi quattro secoli i Bozzo furono

i principali abitanti di questa piccola e inaccessibile insenatura. Conducevano un'esistenza magra vivendo di pesca, ma il loro destino cambiò nella seconda metà del XX secolo, quando il turismo suggerì un'alternativa più redditizia.

Che a San Fruttuoso si possa anche pernottare (da giugno a ottobre) è un piccolo segreto. Al mio hotel di Portofino si meravigliarono quando comunicai che non sarei tornato a dormire: "Non vorrà trascorrere la notte a San Fruttuoso? È impossibile, non ci sono strutture alberghiere!" A dire il vero, all'Albergo da Giovanni non si possono assegnare gli attributi classici di un hotel: per quanto mi riguarda, persi una decina di minuti vagando per i corridoi alla ricerca della reception. Decisi allora di lasciar perdere e mi diressi alla sala ristorante all'ultimo piano. In cucina m'imbattei nella signora Bozzo che correva tra i tavoli per servire le sue specialità ai numerosi clienti. Stava urlando qualcosa a un cameriere quando si accorse di me. Si fermò, chiese il mio nome, fece una piroetta per afferrare la chiave e ordinò a un giovanotto di mostrarmi la stanza. Tutti gli alloggi godono della stessa vista sull'abbazia, la spiaggia, l'acqua del mare color verde smeraldo, la torre di guardia, e la fitta vegetazione abbarbicata alle scogliere che per tanti secoli hanno protetto questo luogo. Domina il silenzio più assoluto, fatta eccezione per il frinire gioioso e ritmato delle cicale e l'infrangersi delle onde sull'arenile sottostante. Le camere sono essenziali, non troppo piccole e arredate con uno stile così eccentrico da far invidia alla Diesel. La mia stanza aveva due diverse carte da parati floreali su tre pareti, mentre la quarta era ricoperta da un'altra carta con finti mattoncini. I sanitari dei bagni erano anteguerra: un lavabo, un bidet e la chiave di un altro bagno ubicato sul tetto. In un'ottica puramente estetica, è meglio sorvolare sui coprisedia del loggiato in cui servono la colazione... anche se le tovaglie rosa a fiori sembravano uscite dall'ultima Collezione Estate di Dolce & Gabbana.

---

indirizzo Albergo da Giovanni, San Fruttuoso, Camogli

t +39 (0185) 77 00 47   **f** +39 (0185) 77 00 47

tariffe a partire da 83 euro (mezza pensione)

il melograno

Il Melograno... strano nome per un hotel che sorge in mezzo a un uliveto. Eppure la scelta non vi sembrerà più così bizzarra quando ne conoscerete la storia. Si tratta di una masseria che data al XVII secolo, una sorta di fattoria fortificata che appartiene unicamente al paesaggio dell'Italia meridionale. Queste strutture fungevano da vere e proprie comunità agricole per la coltivazione, la raccolta e la lavorazione delle olive e delle mandorle. Avevano muri spessi per difendersi dagli eventuali attacchi dei predatori saraceni ed erano protette da torri merlate e da mura di cinta. Le masserie testimoniano come questa regione sia sempre stata oggetto delle mire espansionistiche di popoli e domini diversi. Nei tempi storici la Puglia faceva parte della Magna Grecia, era abitata da popolazioni illiriche ed era considerata il granaio dell'impero. Dopo la caduta della dorica Taranto nel 272 a.C. i Romani ridussero a città federate i centri della Puglia, e Brindisi divenne il principale porto per il commercio verso l'Oriente. Con la caduta dell'Impero, la regione conobbe devastazioni infinite e fu oggetto di disputa tra bizantini, longobardi, franchi, saraceni e normanni. Le crociate inaugurarono un breve periodo di prosperità legato al fiorire delle cittadine portuali dalle quali salpava l'esercito della "guerra santa", ma la minaccia costante dei saraceni non si allentava e i locali svilupparono un'architettura prettamente difensiva. C'era sempre il rischio che un'imbarcazione carica d'invasori potesse attraccare e saccheggiare i raccolti, privando quelle terre dei frutti di un duro lavoro. Con il passare dei secoli, la Puglia è diventata così un coacervo di culture diverse che hanno lasciato tracce evidenti sul territorio. Dal punto di vista architettonico la regione è ricchissima: cattedrali con campanili simili a minareti e massicci come torri medievali, castelli che testimoniano la presenza di normanni, svevi, angioini e aragonesi. La splendida cornice naturale e la mitezza del clima fanno della Puglia una meta turistica ideale, anche se non completamente sfruttata. La decisione presa dal signor Camillo Guerra di trasformare la sua masseria in hotel è un chiaro segno che i tempi stanno cambiando, e che l'economia locale si sta orientando verso un pieno sfruttamento delle potenzialità della regione. Il Melograno appartiene alla catena Relais et Château e questa è solo una delle sorprese riservate ai clienti dell'hotel. La solidità e la netta semplicità dell'edificio mi fanno venire

in mente le *haciendas* messicane, il binomio cromatico di bianco e azzurro mi ricorda lo stile delle case di un'isoletta greca. L'architettura potrebbe quasi essere definita severa se non fosse per gli antichi ulivi che punteggiano la zona. Tanto vecchi da perdersi nei lunghi secoli dello svolgersi della storia, con la loro splendida chioma argentata e il tronco nodoso e contorto, fanno da contraltare alla linearità geometrica delle mura dell'edificio. Anche gli interni sono caratterizzati da un forte equilibrio: compostezza funzionale da un lato, personalità e storia dall'altro. Le stanze sono essenziali, i pavimenti sono rivestiti con grandi mattonelle di ceramica realizzate artigianalmente, le tende veneziane di legno alle finestre riparano dai forti raggi del sole, le pareti sono rigidamente intonacate di bianco. I mobili antichi, raccolti dallo stesso Guerra (uno dei più rinomati collezionisti del Meridione) conferiscono carattere al generale impianto decorativo. Un kilim d'epoca, una reliquia religiosa,

un particolarissimo letto in ferro battuto... questi gli arredi tipici che troverete nelle camere per gli ospiti. Prima di essere convertita in hotel, la masseria era stata per molti anni la residenza estiva della famiglia Guerra. Ma quando i figli crebbero il capofamiglia s'ingegnò ad aprirla agli ospiti paganti. Il luogo, rinfrescato dalla brezza che soffia dal vicino mar Adriatico, infonde un senso di pace e raccoglimento.
La Puglia propone inoltre una varietà di piatti che utilizzano le verdure tipiche regionali e, al Melograno, molti di questi ortaggi sono coltivati nell'orto attiguo. Anche l'olio servito al ristorante è ricavato dagli ulivi coltivati nelle annesse proprietà. La cucina pertanto è ottima, esaltata dagli eccellenti vini della fornitissima cantina.
A questo punto sorge spontanea una domanda: con tanti ulivi intorno, come mai l'albergo si chiama Melograno? Perché questo frutto è stato nel corso della storia il simbolo per eccellenza della bellezza e della fertilità.

indirizzo Il Melograno, Contrada Torricella 345, 70043 Monopoli
t +39 (080) 6909030 **f** +39 (080) 747908 **e** melograno@melograno.com
tariffe a partire da 280 euro

hotel dei trulli

Alberobello, cittadina della Puglia in provincia di Bari, ospita le più singolari costruzioni di tutta la penisola, anzi dell'intero Mediterraneo. Da lontano i trulli sembrano degli igloo con gigantesche protuberanze sulla sommità, da vicino ricordano la casetta dei sette nani o piccoli greggi di pecore. A mano a mano che ci si avvicina ad Alberobello, in un verde paesaggio caratterizzato dai pendii delle Murge, il numero dei trulli si moltiplica e tutto il territorio assume un aspetto fiabesco. Alcuni sono perfettamente conservati, pristini e di un bianco accecante, altri versano chiaramente in stato d'abbandono. Una volta entrati nella cittadina, che dal 1996 fa parte del patrimonio mondiale dell'Unesco, l'atmosfera si fa quasi irreale e l'attenzione è totalmente rapita dai quasi 1500 edifici a pianta circolare o quadrata, con i loro caratteristici tetti conici che ricordano le caffettiere disegnate da Alessi. L'Hotel dei Trulli offre agli ospiti l'opportunità non solo di ammirare queste anomale architetture ma anche di viverci all'interno. Non fatevi ingannare dalle apparenze: questa particolare struttura, che potrebbe sembrare poco confortevole o spaziosa, in realtà è ben congeniata e soprattutto risulta essere un valido baluardo contro il caldo opprimente dell'estate e le intemperie dell'inverno. Le pareti sono infatti costituite da un doppio muro di bianca pietra calcarea che crea un'intercapedine, spesso riempita di terra per offrire maggiore isolamento. L'architettura del trullo è però tutta giocata sulla sovrastante forma conica realizzata a secco, ovvero sovrapponendo filari concentrici di scaglie di grigia e friabile pietra calcarea locale. La singolare geometria di questa "falsa cupola" termina con una sfera o un pinnacolo. In origine si pensava che queste strutture, nella loro forma più elementare, dovessero servire per immagazzinare i frutti della terra, ma quando i contadini le trasformarono in abitazioni, l'impianto fu parzialmente modificato. I trulli vennero costruiti uno accanto all'altro, la pianta si allargò per aumentare lo spazio interno, furono aggiunti focolari e caminetti, costruiti dei tramezzi e, in corrispondenza del tetto conico, si ricavarono soppalchi per immagazzinare il raccolto. I trulli dell'hotel, molto diversi tra loro, sono tutti spaziosi e confortevoli. All'interno vi sono una stanza centrale con il caminetto, un piccolo e raccolto spazio in cui si può dormire, un'altra camera da letto comunicante, una piccola anticamera

e una moderna stanza da bagno. Tutt'attorno un verde giardino in cui crescono rigogliose piante tropicali, platani e pini. Situato ai margini della città vecchia, in cima al rione Monti, l'albergo domina la cittadina di Alberobello e offre un incredibile panorama sulle centinaia di trulli che fiancheggiano ben sette vie. Un tempo queste "piccole cattedrali di pietra" appartenevano ai contadini locali ma verso gli anni Cinquanta, con il processo d'inurbamento subìto dalle campagne, furono abbandonate e lasciate andare in rovina. Fortunatamente, negli anni Sessanta, le autorità locali avviarono un progetto che si prefiggeva di salvare questo patrimonio architettonico unico al mondo, reinserendolo nel tessuto urbano. Oggi i trulli ospitano caffè, ristoranti, boutique, farmacie e, naturalmente, abitazioni private. Da dove derivino queste enigmatiche strutture — i cui coni sono spesso decorati con disegni sacri e profani — è ancora un mistero irrisolto. C'è chi sostiene si tratti di un'eredità lasciataci dai cartaginesi, e chi

invece è convinto che le origini vadano ricercate nella notte dei tempi. Nessuna teoria ha ancora trovato conferma e questo non fa che accrescere il loro fascino. Le origini di Alberobello sono invece più facilmente rintracciabili. La cittadina fu fondata nel XV secolo, quando molti coloni si raccolsero nelle proprietà terriere del conte di Conversano per lavorare la terra. Alla comunità così formatasi doveva essere fornito un alloggio e il conte, per evitare la tassa imposta dai borboni su ogni nuovo "conglomerato urbano", ricorse a uno stratagemma. I contadini avrebbero dovuto costruire le loro abitazioni utilizzando la bianca pietra a secco, senza l'uso di calce o cemento. Nel caso di una visita regia di verifica, si poteva abbattere facilmente il tetto e camuffare la destinazione d'uso dell'abitato. Questa situazione si protrasse fino al 1797 quando Ferdinando IV proclamò Alberobello città regia. Forse è anche per questa lunga attesa, che gli abitanti del luogo sono così protettivi nei confronti dei loro amati trulli.

---

indirizzo Hotel dei Trulli, Alberobello, Bari

t +39 (080) 4323 555 **f** +39 (080) 4323 560 **e** hoteldeitrulli@inmedia.it

tariffe a partire da 93 euro

hotel locarno

Come possono bastare pochi anni per capovolgere la situazione. La prima volta che alloggiai all'Hotel Locarno trovai che i suoi punti di forza, a parte una straordinaria collezione di mobili Liberty raccolti dalla proprietaria e da sua figlia, erano lo splendido terrazzo pensile all'ultimo piano e una clientela un po' fuori dell'ordinario che aveva eletto l'hotel a luogo ideale per il proprio soggiorno romano. Il rovescio della medaglia era il traffico. La vicina piazza del Popolo si configurava come uno dei luoghi del centro più tormentati dal passaggio continuo di veicoli, e il rumore e l'inquinamento raggiungevano anche il Locarno situato in una vietta laterale, appena dietro l'angolo. Tre anni dopo, tutto era cambiato: piazza del Popolo è diventata zona pedonale, le due chiese gemelle che dominano il lato sud sono state restaurate e, per la prima volta, sembra che gli stessi romani si siano accorti degli spettacolari giardini terrazzati che fiancheggiano un lato della piazza. Istituzioni storiche, come il caffè Rosati con i suoi tavolini all'aperto, sono diventati i locali ideali per guardare il viavai e per farsi vedere. Per rendere meglio l'idea, è come se Place de la Concorde a Parigi fosse chiusa al traffico con tavolini, sedie e ombrelloni disposti lungo tutto il suo perimetro; o come se Trafalgar Square si fosse liberata di macchine, autobus e camion e mettesse in bella mostra un paio di caffè all'ultimo grido, con tanta bella gente seduta all'aperto in una giornata di sole. Il più recente hotel di Roma, l'elegantissimo De Russie, parte integrante di questa rinascita, è stato aperto proprio a due passi dalla piazza. Finalmente si è capito come questo angolo della città sia al contempo suggestivo e accattivante. Per una furtuita coincidenza, proprio quando la città eterna riscopriva uno dei suoi tesori a lungo trascurati, i proprietari del Locarno riuscivano ad acquistare l'edificio contiguo all'hotel che avevano corteggiato per decenni. Il palazzo aveva ospitato una banca con tutto il lusso che questo implica, e poi era stato suddiviso in grandi appartamenti residenziali. Aveva tutte le qualità necessarie: un imponente scalone in pietra, soffitti altissimi, parquet e pavimenti di marmo e molti altri particolari in stile neoclassico. Come vi potrà dire la stessa Caterina Valente, questo palazzo offriva l'opportunità di allargare e variare l'offerta del Locarno in fatto di ospitalità. Sarebbe diventata una valida alternativa: più lussuosa, più spaziosa e più in chiave storica.

L'Hotel Locarno, inaugurato nel 1925,
si trova a due passi da piazza del
Popolo, nel cuore di Roma

L'albergo offre agli amanti delle due
ruote una schiera di biciclette
con cui sfidare il traffico cittadino

Mobili e oggetti d'antiquariato scovati
girando per aste e mercatini: l'hotel è
stato arredato con garbo e buon gusto

Originalità, stile e tariffe relativamente abbordabili fanno del Locarno l'hotel ideale per un soggiorno nella capitale

Scorcio di un bagno degli anni '20 che si trova nello stabile attiguo, acquisito di recente dai proprietari del Locarno

Il delizioso giardino interno, un'oasi di pace in centro città, è uno dei punti di forza dell'albergo

Inevitabilmente sarebbe stata anche un po' più cara, ma senza esagerare. L'ampliamento del Locarno significava anche una grande conquista: il palazzo contiguo aveva un piccolo giardino che risultava essere la metà del cortiletto già di proprietà di Maria Teresa Celli, madre di Caterina e titolare del Locarno. Così dopo settant'anni, la famiglia poteva riunire queste due porzioni di terreno e offrire un ampio spazio all'aperto: un vero lusso considerando la sua posizione supercentrale. Oggi gli ospiti possono comodamente fare colazione e godersi il buon clima romano. Per quanto riguarda l'impianto decorativo, si è scelto un approccio diverso per questa nuova ala, non più strettamente legato allo stile Liberty, e leggermente più eclettico. Sicuramente aiuta il fatto che gli elementi chiave del nuovo palazzo non dovevano essere modificati. Una delle suite d'angolo al primo piano, per esempio, vanta una sala da bagno che risale al periodo prebellico, tutta bianca e con particolari in marmo e ocra unici nel loro genere. Sarà forse un luogo comune, ma il nuovo Locarno offre esattamente il tipo di stanza ideale che si vorrebbe trovare a Roma: spaziosa, con una leggera patina storica, piena di pezzi d'antiquariato, ma soprattutto autentica. Quel tipo di ambiente che potrebbe risultare congeniale a uno scrittore o a un regista che deve trascorrere a Roma un periodo di tempo relativamente lungo. E pur tuttavia c'è qualcuno che la pensa in maniera diversa. Recentemente un mio amico aveva prenotato una delle belle camere d'angolo al primo piano – quella verde con lo stupendo bagno anni Trenta. Gli telefonai per conoscere le sue impressioni. "È bellissimo qui", mi rispose, "ma è così rumoroso!" "Rumoroso?" replicai, stupefatto. "Ma se piazza del Popolo è chiusa al traffico." "No, non sono le macchine", ribatté lui, "è colpa di quei dannati motorini..." Bisogna proprio dire che esistono gli incontentabili. Niente traffico, è già una bella conquista. Ma Roma senza gli scooter, non sarebbe più la stessa.

---

indirizzo Hotel Locarno, Via della Penna 22, 00186 Roma

t +39 (06) 3610 841 f +39 (06) 3215 249 e info@hotellocarno.com

tariffe a partire da 190 euro

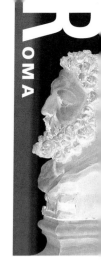

ripa hotel

Se amate il minimalismo e le più recenti correnti del design, lo stile ultrachic del Ripa All Suites Hotel vi piacerà moltissimo. Se, invece, prediligete il gusto "classico" per cui Roma è famosa nel mondo, statene alla larga. Fin dalla nascita, il Ripa ha puntato ad affermare una propria identità più nella scia di *Wallpaper* che di *Quo Vadis*, più alla Fellini che nello stile di *Vacanze Romane*. Del resto, la città eterna non finisce mai di stupire. Meta di viaggio di migliaia di pellegrini, ma anche degli appassionati di storia antica e dell'arte rinascimentale, Roma offre non solo un'incredibile collezione di vestigia del passato, ma una vitalità culturale ed artistica che si tramuta nella capacità di interpretare le indicazioni più moderne e sofisticate del design, grazie a un bagaglio d'esperienza che proviene da oltre due millenni di civiltà. Gli stili di vita della romanità contemporanea hanno poco a che fare con statue, fontane e musei. La felliniana dolce vita di oggi passa per i bar e i caffè disseminati in città, lo shopping di classe nelle boutique di Gucci e Prada di via Condotti (non lontano dalla Scalinata di Trinità dei Monti in piazza di Spagna), una cena sotto le stelle al Rosati in piazza del Popolo e, perché no, tra le mura

completamente rinnovate dell'originalissimo Ripa Hotel. Lo stile di quest'albergo a quattro stelle, che potremmo definire grande per gli standard romani, è semplice ed essenziale, ripulito da ogni interferenza storica o vagamente kitsch. Insignito nel 1999 del titolo di Design Hotel dal Lebens Art Group di Berlino, il Ripa sorge ai margini di Trastevere – il cuore vecchio della capitale – a pochi passi dal Vaticano e dal Colosseo, e offre ai suoi ospiti un'esperienza unica, che non dispiacerebbe a Paul Smith o ai redattori di *Domus*. Gli architetti Jeremy King e Riccardo Roselli hanno ricreato interni spaziosi e originali, per quanto lineari e senza fronzoli. Se ne ricava l'impressione di un loft, interpretato tuttavia secondo un gusto tipicamente italiano. Nelle camere non ci sono armadi, ma una sorta di séparé alle spalle del letto dietro cui ricoverare – o piuttosto esporre – il proprio guardaroba. Se, in fatto di gusto cromatico, il vostro abbigliamento s'intona con le scelte dei designer, tanto meglio. Per il mobile del minibar, tanto utile quanto brutto a vedersi, è stata escogitata la soluzione di foderarlo di feltro ed appenderlo alla parete, quasi fosse una scultura in sintonia con l'ambiente. La televisione, altro catafalco

indispensabile in una stanza d'albergo, poggia invece su un disco d'acciaio inossidabile, sopra una panca ai piedi del letto. Un comodo divano è stato sistemato in una nicchia accanto alla finestra, che si affaccia su un balconcino quadrato. Lo stile moderno e sofisticato è declinato anche nei bagni, che giocano sul binomio cromatico del bianco e del grigio. Lavandino e accessori sono in acciaio inox, lo specchio è enorme e gli asciugamani corrono intorno a un tubo arrotondato, anch'esso in acciaio, che ricorda lo stile anni Sessanta di Courrèges. In sintesi, abluzioni alla moda di Barbarella. Il ricorso al feltro, a diversi toni del grigio e a tappeti che propongono un finto selciato di tondi sassolini, suggerisce analogie con lo stile industriale dei primi anni Ottanta di Joe D'Urso o con l'Hudson Hotel di Manhattan. Per quanto la sua posizione sia piuttosto defilata, il Ripa offre 170 stanze molto spaziose, ottimi servizi e un buon rapporto qualità-prezzo. Il Riparte Café, che accoglie fino a 150 posti a sedere e ospita spesso mostre d'arte contemporanea, è un ristorante di design specializzato in cucina creativa. Carne, formaggi e la maggior parte degli ingredienti provengono dalla fattoria dei proprietari, la famiglia Roscioli. Per quanto curato ed elegante, qui l'arredamento è meno originale che nelle stanze e fa un po' il verso ai locali londinesi di Sir Terence Conran. In quanto a vista, il Ripa putroppo non ha granché da vantare: si affaccia, infatti, su condomini in cemento armato che solo un irriducibile cultore dell'architettura socialista potrebbe apprezzare. Ma poco importa; i principali monumenti di Roma sono a qualche minuto di taxi, e dopo cena si può tranquillamente rimanere in albergo. Elegante e trasgressivo, il nightclub Suite Ripa Sound attrae una folta clientela locale, disposta a tutto pur di divertirsi. In fondo, scegliere di alloggiare in un hotel ultramoderno nella città storica per eccellenza, è uno dei modi più nuovi di vivere Roma nel terzo millennio.

indirizzo Ripa All Suites Hotel, Via Gianniti 21, 00153 Roma

t +39 (06) 586 11 **f** +39 (06) 581 4550 **e** info@ripahotel.com

tariffe a partire da 361 euro

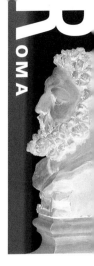

hotel de russie

La riapertura del De Russie, una delle pietre miliari dell'ospitalità romana, ha suscitato non poche polemiche. "Troppo moderno" è il verdetto dell'antica nobiltà cittadina, opinione verosimilmente contraddetta da una schiera di persone inclini a una maggiore creatività nell'ambito del design. Tutti comunque si aspettavano che questo prestigioso edificio dalle forme neoclassiche, che vanta splendidi giardini terrazzati, sarebbe stato "agghindato" in grande stile. Dopotutto, per lunghi anni era stato uno degli hotel di lusso cittadini. Ma Roma vantava già la sua parte di *grandeur* e ciò di cui aveva veramente bisogno era un hotel che incarnasse uno spirito più "audace" e più contemporaneo: con il De Russie, l'obiettivo è stato felicemente raggiunto. Ironia della sorte, mentre gli ospiti stranieri ne lodavano il carattere così tipicamente romano, gli abitanti della città eterna insistevano che di romano non aveva proprio alcunché. Eppure, al di là di ogni disputa concettuale, l'Hotel De Russie è diventato il luogo per eccellenza in cui incontrarsi, un fatto eccezionale per questa città. Mentre pranzavamo insieme in una delle terrazze dell'hotel, il designer Tommaso Ziffer mi disse: "Fino a qualche anno fa, i romani non si sarebbero mai dati appuntamento in un albergo per fare quattro chiacchiere o bere un drink; l'opinione diffusa era che gli hotel fossero riservati esclusivamente ai turisti". Oggi, in una bella giornata di sole, le splendide logge del De Russie ospitano più romani che clienti dell'albergo. È vero che i giardini esercitano una forte attrazione: l'oasi di verde che circonda il De Russie fa dimenticare che ci troviamo in via del Babuino, nel cuore della capitale, e gli alberi secolari fanno da scudo al caldo estivo e alla frenesia di una città invasa dal turismo. Tuttavia, nonostante l'eterna bellezza e l'eleganza latina che questo luogo sprigiona, Ziffer era un po' turbato dal fatto che non tutti ne cogliessero l'essenza più autentica. "La gente continua a parlare di minimalismo, una follia", mi raccontò con una punta di rammarico, e mi resi conto che con ciò si riferiva proprio ai romani. Potremmo dire che il De Russie è misurato nelle sue scelte, ma il carattere è squisitamente locale e la sua architettura si ispira a una versione aggiornata del neoclassicismo. Gli interni progettati da Ziffer si rifanno strettamente alla Roma degli anni Trenta e Quaranta ma, al contempo, propongono tutti gli ingredienti classici dell'eredità storica dell'antica urbe,

Splendide sculture accolgono gli ospiti nel corridoio centrale. L'albergo ricrea il fascino della Roma di un tempo

I toni del verde predominano nelle stanze più moderne. Grigio e crema prevalgono nelle stanze più classiche

Tommaso Ziffer ha mescolato gusto classico e stile moderno, ispirandosi al design italiano degli anni Trenta

Nel giardino, allietato da colorate bouganvillae, palme e platani secolari creano una barriera contro l'afa estiva

Uno scorcio del ristorante Le Jardin, dove si serve la prima colazione durante i mesi invernali

Terrazze, scalinate e statue: un esuberante spettacolo di sapore rinascimentale nei giardini dell'hotel

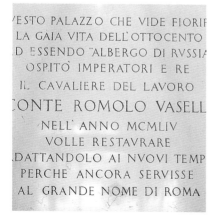

Una targa commemorativa di marmo alla reception ricorda i primi interventi di restauro, che risalgono agli anni '50

La terrazza inferiore, vicino alla reception, d'estate è il luogo ideale per consumare un pranzo leggero

La scalinata è un esempio dell'influenza esercitata dal modernismo sul design di Tommaso Ziffer

Tralci d'edera, fontane e frondosi
platani allietano l'ora della prima
colazione, servita in terrazza

La doppia anima, classica e moderna
del De Russie, combina comfort ed
eleganza: un fascino intramontabile

Caldi riflessi dell'oro e dell'argento
esaltano la composta semplicità
della sala delle conferenze

Lo stile pacato di questo grande
albergo, per alcuni troppo moderno,
esalta la nobile storia della città eterna

Busti, urne e statue ricoperte di verde
danno all'ospite la sensazione di vivere
nella Roma del passato

Tende di lino, specchiere veneziane e
mensole barocche: Ziffer interpreta il
presente con un occhio alla storia

Particolare di un bassorilievo: a un
occhio più attento si rivela una superba
copia realizzata in materiale sintetico

Gran profusione di rivestimenti
in marmo e tessere di ceramica nelle
stanze da bagno, ampie e luminose

Le forme moderne e un sapiente modo
di utilizzare i colori conferiscono alle
stanze un'impronta molto personale

seppur reinterpretati con garbo: pavimenti di marmo, lampade di bronzo, busti che poggiano su basamenti, soffitti a volta, mosaici, gran profusione di oro e argento nelle decorazioni e, in giardino, vasi di terracotta con limoni, palme, cipressi, grotte e, naturalmente, statue dedicate a personaggi eroici. Ma Roma da sempre si associa anche alla buona cucina e il De Russie le fa onore. La prima colazione è perfetta, servita all'aperto sulla terrazza più elevata, mentre la loggia a livello del bar è meta del pranzo di numerosi clienti romani. Il ristorante più tradizionale occupa le terrazze superiori, per quanto il jet-set sembri preferirgli l'atmosfera più informale del Bar Stravinskij. Il menù propone un'incredibile varietà di piatti, dagli antipasti freddi alle più fantasiose insalate, pensate proprio per chi preferisce rimanere leggero. Design sobrio ed elegante, ottima cucina, un seducente giardino, un'atmosfera intima: questi sono gli ingredienti di una formula riuscita, esaltata da un servizio impeccabile,

espletato con grande naturalezza; l'attenzione al dettaglio è minuziosa, qualità tangibile di una gestione curata da veri professionisti dell'ospitalità. Il De Russie, infatti, è uno dei gioielli della catena Rocco Forte Hotels, la nuova società costituitasi in seguito alla sofferta cessione dell'attività alberghiera dei Forte alla Granada. Come i fatti hanno dimostrato, la decisione di riproporsi sul mercato è stata felice e ha permesso alla nuova generazione – Rocco Forte e la sorella Olga Polizzi – di creare hotel capaci di riflettere la lunga esperienza della famiglia nel settore, con uno spirito innovativo e più in linea con le esigenze del viaggiatore contemporaneo. Il dibattito sull'eccessiva modernità del De Russie potrà anche continuare, ma una cosa è certa: turisti e romani seguiteranno a frequentare le sue terrazze e il Bar Stravinskij. Si avverte appena entrati: questo non è un semplice albergo, è un carillon in cui i ritmi vengono scanditi ancora come al tempo della dolce vita.

---

indirizzo Hotel de Russie, Via del Babuino 9, 00187 Roma

t +39 (06) 32 888 1   **f** +39 (06) 32 888 888   **e** reservations@hotelderussie.it

tariffe a partire da 352 euro

hotel le dune

Dal punto di vista geografico, la Sardegna appartiene ufficialmente al territorio italiano, ma quanto a cultura e tradizioni è un piccolo mondo a se stante. Quando gli antichi romani vi approdarono, nel 238 a.C., si trovarono dinanzi un ambiente naturale selvaggio, abitato per lo più da caparbi guerrieri-pecorai e disseminato di peculiari e misteriose costruzioni coniche in pietra (i nuraghi) risalenti, in gran parte, addirittura al 1500 a.C. Le aree in cui gli invasori trovarono maggiore resistenza furono quelle montane: non per niente, la regione intorno al Gennargentu fu ribattezzata dai romani Barbària, da cui deriva il nome attuale di "Barbagia". A tutt'oggi, l'entroterra sardo rappresenta uno degli ultimi baluardi di natura incontaminata presenti in Europa: è una terra di contrasti, fatta di boschi e distese di colline brulle, di spiagge bianche e pascoli verdeggianti. Sebbene la Costa Smeralda sia il luogo di villeggiatura più ambito dai "ricchi e famosi", in realtà questo lembo di terra tanto chic e sofisticato non si estende per più di una trentina di chilometri. È sufficiente allontanarsi di pochi metri dagli yacht privati e dagli sfarzosi ristoranti per imbattersi in scogliere e baie di rara bellezza. Gran parte della costa orientale dell'isola

è rimasta pressoché inalterata dai tempi di Omero: le spiagge immacolate e le recondite insenature sono le stesse a cui approdarono i galeoni greci e fenici in cerca di sorgenti di acqua dolce. Tuttavia, la zona più selvaggia e inviolata dell'isola, e anche la più straordinaria, è quella sudoccidentale. Un tempo regione mineraria, oggi è divenuta un'area per lo più desertica, con vecchi accampamenti in rovina e città fantasma. Il contrasto tra i ruderi desolati lasciati dall'uomo e il fascino incantevole dell'ambientazione naturale è davvero netto. Tra montagne che si gettano a strapiombo nel mare e piccole isole solitarie, spiccano spiaggette a mezza luna di sabbia bianca finissima, che ricordano un paesaggio più caraibico che mediterraneo. In quest'angolo di paradiso, tutto ci si aspetterebbe salvo che di trovare un moderno hotel di lusso, arredato ad arte con anfore romane e ancore fenicie. E "trovare" è davvero il verbo più indicato, in questo caso. Dalla storica città di Cagliari, a sud dell'isola, si raggiunge Arbus viaggiando lungo la costa che si affaccia su Maiorca e la Spagna. È un tragitto solitamente poco battuto, dunque è bene non aspettarsi troppo dalla strada; anzi, a dire il vero da Arbus in poi si percorrono più che altro stretti sentieri

tortuosi e sterrati per i quali l'uso del fuoristrada è altamente consigliabile. Superata la cittadina di Ingurtosu è quasi – e sottolineo quasi – fatta: resta ancora da oltrepassare una strada in terra battuta solcata al centro da una vecchia ferrovia a scartamento ridotto. La maggior parte degli albergatori investirebbe il proprio denaro per far lastricare quella strada; i proprietari dell'hotel Le Dune, invece, si stanno facendo in quattro per lasciarla così com'è. L'hotel Le Dune è un piccolo avamposto di stile e comfort circondato da una natura brulla: l'arida bellezza di questa zona ricorda il litorale della Gran Baia Australiana, le cui acque si estendono sino alle coste dell'Antartide. C'è un che di magnetizzante nella natura, quando è lasciata libera di seguire il suo corso e fortunatamente, nella zona di Piscinas, con la sua immensa spiaggia bianchissima, l'uomo non ha ancora messo mano. Della precedente attività di estrazione rimane solo una vecchia miniera abbandonata e qualche baracca in disuso. Quanto al Le Dune, anch'esso un "cimelio", è di certo più confortevole di un accampamento minerario: composto da tre edifici ottocenteschi, nel 1985 è stato dichiarato monumento nazionale per il suo interesse storico-artistico. I proprietari tengono a sottolineare che non si tratta del solito resort tutto "mare e tintarella". A differenza degli sfavillanti e sfarzosi complessi alberghieri del nordest, qui non si tenta di concentrare tutti e dodici i mesi del calendario in un frenetico quanto fugace bimestre estivo: l'hotel è infatti aperto agli ospiti da marzo a novembre. Chi sceglie Le Dune per le sue vacanze vuole essenzialmente ricongiungersi alla natura, inerpicarsi sulle gigantesche dune di sabbia, passeggiare lungo le suggestive, grandi spiagge deserte e perché no imbattersi nel cervo sardo, tornato a regnare su queste vallate dopo una persecuzione che l'aveva portato a un passo dall'estinzione. Insomma, tornare a una vita "barbara" per rituffarsi nella civiltà… con un'abbronzatura mozzafiato.

indirizzo Hotel le Dune, Via Bau 1, Ingurtosu, 09030 Arbus, Piscinas, Sardegna

t +39 (070) 977 130   f +39 (070) 977 230

tariffe a partire da 52 euro

hotel cala di volpe

Mi trovavo a Perth, Australia occidentale, quando ebbi il mio primo "assaggio" di Cala di Volpe. Era il 1987 e l'Aga Kahn, all'epoca proprietario della prestigiosa catena alberghiera Ciga, della quale il Cala di Volpe era uno dei fiori all'occhiello, decise che l'American Cup poteva essere l'occasione perfetta per fare pubblicità al suo hotel. Era la prima volta, dal 1851, che questo celebre evento sportivo si svolgeva in territorio non americano; per l'occasione, i migliori chef dell'esclusivo hotel sardo furono trasferiti in massa a Fremantle, vicino Perth, dove trasformarono l'antica sede dei sindacati in un ristorante di primissimo ordine. Risultato: la filiale antipoda del Cala di Volpe fece il tutto esaurito per quasi sei mesi ed era più facile vincere una delle regate che riuscire a prenotare un tavolo. L'ottimo cibo è solo una delle molte ragioni che hanno reso questo hotel una leggenda. Situato sulla punta settentrionale dell'isola, il Cala di Volpe riesce magistralmente a combinare un'architettura innovativa con un'ambientazione incantevole e un servizio impeccabile. Fino al 1962, prima che vi giungesse l'Aga Kahn, questa zona non era altro che un tratto di costa punteggiato di meravigliose spiaggette bianche e lambito da limpide acque verde smeraldo. Il plurimiliardario, comunque, aveva le idee chiare: con l'aiuto degli architetti Luigi Vietti, Michele Busiri Vici e Jacques Couelle si propose di trasformare la Costa Smeralda in una località unica nel suo genere. L'intero stile architettonico, sia delle abitazioni private sia degli edifici commerciali, doveva attenersi a precise disposizioni. Lungo gli oltre cinquanta chilometri su cui si estende questa porzione di litorale non si trovano costruzioni elevate, né parchi acquatici o a tema di dubbio gusto. E non è tutto. Il principe andò ben oltre: diede ordine di non spostare né insabbiare per nessun motivo i caratteristici massi arrotondati presenti in tutta la zona, onde alterare il meno possibile l'ambiente circostante. Pertanto, tutti gli edifici, che per la maggior parte non superano il primo piano, dovettero essere costruiti intorno a queste rocce. Una tale intransigenza apparentemente esagerata si è rivelata essere la formula più vincente in questo tipo di costruzioni. Da decenni a questa parte, la Costa Smeralda è meta di grandi star del cinema, di registi e anche di politici. Incastonato in una piccola baia privata, il Cala di Volpe è l'alternativa di lusso per coloro che non possiedono una villa in questa zona. Insieme al ritrovato gusto per l'architettura e il design anni Sessanta, sono tornati in voga anche i portici, le torrette, le mattonelle in terracotta e gli archi decorati a stucco e tempestati di coloratissime tessere di vetro. In realtà, l'idea non era quella di ridurre il tutto a una mera questione estetica; in Costa Smeralda ogni forma emula il paesaggio e i colori prescelti sono il rosso acceso, il giallo ocra, il blu indaco e il verderame delle barche da pesca locali. Jacques Couelle è riuscito egregiamente a far coesistere in perfetta armonia le impronte culturali del luogo con la modernità dei suoi progetti.

Erano in molti a dubitare, soprattutto i locali, che questa striscia di terra impervia potesse divenire il regno estivo del jetset internazionale. E invece, nemmeno l'eventualità di dover sgombrare la pista del piccolo aeroporto dalla solita pecora sfuggita al gregge ha mai impedito a celebrità del calibro di Greta Garbo, Audrey Hepburn o Frank Sinatra di raggiungere questo angolo di paradiso. I nomi non sono più gli stessi, ma ancora oggi il Cala di Volpe continua a essere la meta prediletta di una folta schiera di personaggi noti e, cosa non meno importante, di clienti affezionatissimi. È famoso il caso di un uomo che da vent'anni a questa parte viene all'Hotel Cala di Volpe per festeggiare l'anniversario di matrimonio (poco importa se la moglie non è sempre la stessa).

Più eloquente ancora è la vicenda di una donna che, dopo anni di "pellegrinaggio" all'hotel, scoprì proprio al cinema che la sua stanza, dopotutto, non era la migliore: insistette allora perché le riservassero, in occasione della sua visita successiva, la camera di James Bond che compare nel film *007 – La spia che mi amava*. "Ma signora" cercò di spiegarle il personale, "quella stanza in realtà non esiste. Le riprese sono state girate nel bar dell'hotel." La donna non volle intendere ragioni: "I soldi non sono un problema", replicò. "Se l'ha avuta Roger Moore, perché non posso averla anch'io?"

---

indirizzo Hotel Cala di Volpe, 07020 Porto Cervo, Costa Smeralda, Sardegna

t +39 (0789) 976 111   **f** +39 (0789) 976 617   **e** res059caladivolpe@luxurycollection.com

tariffe a partire da 270 euro

hotel gutkowski

"La più bella e la più nobile tra le città greche" scrisse lo storico Tito Livio più di 2000 anni fa e ancora oggi chi visita Siracusa non può sottrarsi al fascino esercitato da una città che vanta una storia plurimillenaria. Fiore dell'ellenismo in Occidente e campione della civiltà greca contro la barbaria punica, emulò Atene, Cartagine e Roma. La classicità greco-romana si respira ancora nella città: un'arena che ospitava gli spettacoli dei gladiatori; un circo in cui si sgozzavano fino a 450 vittime in una volta; un anfiteatro in cui nacque la commedia; strani giardini non sulla terra né pensili, ma in profonde fosse (le Latomie); una fortezza eretta con mezzi grandiosi e una rete amplissima di mirabili acquedotti. Ma Siracusa non è stata solo greca e romana, in queste terre si sono succeduti anche i bizantini, gli arabi, i normanni, gli svevi, gli aragonesi, i catalani e i borboni. Ortigia, l'isolotto lungo circa 1600 metri e largo meno della metà, collegato alla terraferma dal Ponte Nuovo e circondato dalle acque blu cobalto del mar Ionio, conserva inalterate le testimonianze del passato. Per l'intreccio di misteriose viuzze ricorda in qualche modo le città arabe dell'Africa settentrionale, ma passeggiando per l'isola si scoprono antiche vestigia greche, come i resti del tempio di Apollo e quello di Atena (ormai inglobato nella cattedrale), o il pittoresco bacino della Fontana Aretusa, celebrato dai versi di Pindaro e Virgilio e circonfuso dal mito della ninfa che la dea Artemide mutò in sorgente per sottrarla alla bramosia di Alfeo. E ancora i resti medievali di un rinnovamento edilizio della fine del Trecento, influenze di arte catalana e ovunque si poggi lo sguardo chiese e palazzi barocchi. Edifici che sono riccamente decorati con trifore, colonnine, balconi in ferro battuto dalle linee sinuose e con facciate ritmate da finestre elaborate, racchiuse da archi dal ricco intaglio. Palazzi che si aprono su piccole corti e giardini in cui crescono rigogliosi palme nane, piante di papiro, buganvillae, gelsomini e oleandri. Oggi Ortigia è il cuore vivo della vecchia Siracusa, da visitare a piedi, meglio di sera, per ammirare le viuzze illuminate dai lampioni in ferro battutto, per curiosare nei negozietti che non offrono i soliti souvenir ma una selezione dell'artigianato locale come il laboratorio dei pupi con annesso teatrino, o la bottega di papiri lavorati e disegnati a mano. Eppure solo qualche decina di anni fa l'isola, soprattutto a tarda sera, era un luogo spettrale. I vecchi residenti di Ortigia se ne erano andati

Bianco abbagliante interrotto da
macchie azzurre e colori pastello: il
Gutkowski è un albergo mediterraneo

Le stanze sono semplici ma curate e
accoglienti. Cinque di esse godono
di una splendida vista sul mare

L'animato porticciolo di Siracusa
ospita ancora una flotta
di variopinti pescherecci

La terrazza del piccolo appartamento all'ultimo piano; l'hotel sorge sul lungomare, nel centro storico di Ortigia

Il Gutkowski è un piccolo albergo di 15 camere, ritagliate con garbo tra le mura di un vecchio stabile

Le stanze sul retro dispongono di terrazze private, quelle sul fronte si affacciano sul lungomare

e avevano preferito i nuovi quartieri popolari ai margini della città. I palazzi barocchi con le loro belle facciate all'interno cadevano a pezzi, mancavano acqua, elettricità e un adeguato sistema fognario. I bar e i pochi locali rimasti aperti erano malfrequentati: chi girava per Ortigia, soprattutto di sera, lo faceva per non essere visto dai concittadini e magari per intrufolarsi in qualche cinema a luci rosse o incontrarsi di nascosto con qualche losco individuo. Poi la situazione cambiò e la nuova generazione cominciò a riappropriarsi di Ortigia. Con l'aiuto dei fondi comunitari e una nuova mentalità illuminata, si iniziò a restaurare i vecchi palazzi barocchi, si aprirono graziose trattorie in cui assaporare le delizie della cucina siracusana, vennero inaugurati piacevoli caffè e locali in cui ascoltare musica dal vivo. Paola Pretsch (il cognome della madre è Gutkowski), di origini polacche ma siracusana di nascita, è una delle protagoniste di questa rinascita. Inizialmente acquistò un vecchio cinema porno e lo trasformò in cineteca con una selezione di film d'arte d'avanguardia. Poi, forte di questa esperienza, si lanciò in un nuovo progetto imprenditoriale. Insieme a un gruppo di amici con la sua stessa apertura mentale acquistò un vecchio edificio di artigiani e pescatori, affacciato sulle acque trasparenti del mare di Ortigia e a due passi dal cuore pulsante dell'isola. Al termine dei lavori di restauro, durati due anni, Paola ottenne proprio il genere di albergo di cui Siracusa aveva bisogno: elegante, moderno e molto accogliente. Delle 15 camere – spaziose e dotate di aria condizionata, con bagni nuovi di zecca – cinque si affacciano sul mare. La vista che si gode è incomparabile e la posizione è la migliore sull'isola. Nei mesi estivi, gli ospiti possono rilassarsi in un solarium attrezzato; d'inverno, il camino rende più piacevole l'ora dell'aperitivo. Tenendo conto che la ricezione alberghiera di Ortigia è ancora limitata, si tratta di un indirizzo prezioso, in cui la prenotazione è d'obbligo.

indirizzo Hotel Gutkowski, Lungomare Vittorini 26, 96100 Siracusa

t +39 (0931) 465 861   **f** +39 (0931) 480 505   **e** info@guthotel.it

tariffe a partire da 67 euro

castello di falconara

Per farvi un'idea sulla storia dei proprietari di questo duecentesco castello normanno che sorge sulla costa ad ovest di Gela, si prendano come riferimento due famosi romanzi che apparentemente non hanno niente in comune: *La mia Africa* di Karen Blixen e *Il Gattopardo* di Tomasi di Lampedusa. Come l'autrice danese, il barone siciliano Roberto Chiaramonte Bordonaro possedeva una fattoria in Africa (fattoria, è solo un eufemismo, visto che si trattava di una grande piantagione di caffè). Il mal d'Africa che colpì la Blixen una volta rientrata nella nativa Danimarca e che la portò a scrivere il famoso libro di ricordi, afflisse anche la famiglia del barone, costretta a malincuore ad abbandonare i possedimenti kenioti a cui erano molto affezionati. Antonella, la consorte di Roberto Chiaramonte, parla ancora di quei luoghi come di un paradiso in terra e, a giudicare dal numero di oggetti africani disseminati nel Castello di Falconara, lo stile di vita dei due coniugi doveva essere molto vicino a quello descritto da Hemingway in *Verdi colline d'Africa*. Alle pareti sono appese foto scolorite del barone, del padre e del nonno armati di fucili e vestiti con morbidi calzoni color cachi e ampie sahariane.

Le immagini testimoniano le loro battute di caccia e i loro "trofei": rinoceronti, coccodrilli, struzzi, antilopi, gazzelle... e chi più ne ha più ne metta. Anche se in un'ottica decorativa, queste foto non incontrano il favore generale, bisogna ammettere che suscitano sempre una certa impressione, soprattutto se le si considera parte integrante della storia del castello.

La grande torre quadrata fu costruita in epoca normanna come baluardo contro le possibili invasioni dei barbari e fu donata nel 1392 dal re Martino d'Aragona a Ugone di Santapau per i servizi resi alla monarchia, nella lotta contro le forze nemiche. Come molti castelli medievali, si trattava di una fortezza difensiva riservata alle truppe. I soldati mercenari dormivano in una sorta di soppalco sotto il soffitto, mentre gli animali erano ricoverati nel grande salone. Nel 1540 il castello divenne di proprietà di Ambrogio di Santapau Branciforte, principe di Butera e fu proprio quest'ultimo a trasformarlo in una residenza che doveva soddisfare le esigenze di un ricco nobile. Cambiati gli usi, i costumi e le priorità, la torre originaria divenne il luogo in cui allevare e ammaestrare alla caccia i falconi, attività da cui deriva il suo nome attuale.

Nell'Ottocento il castello cambiò nuovamente proprietario e passò nelle mani di un ufficiale tedesco, il conte Wilding che, alla morte, lo lasciò in eredità al fratello. Durante i moti rivoluzionari del Quarantotto quest'ultimo decise di vendere ogni cosa e far ritorno in patria. Proprietà e relativo titolo nobiliare furono acquistati da Antonio Chiaramonte Bordonaro, ed è a questo punto che la storia di Falconara richiama alla mente gli ambienti e gli stili di vita narrati dallo scrittore siciliano e portati sul grande schermo da Luchino Visconti. Non solo il nonno Bordonaro ha un'incredibile rassomiglianza con Burt Lancaster nei panni del principe di Salina, Don Fabrizio, ma la bella vita condotta ricorda i fasti della nobiltà siciliana raccontati nel *Gattopardo*. Ancora oggi i Bordonaro si dividono tra il loro suggestivo palazzo Liberty a Palermo e il castello nisseno. Per mantenere entrambe le proprietà la famiglia ha pensato di aprire le porte agli ospiti paganti ed è stata un'idea felice. La residenza palermitana, Carlotta, viene sfruttata occasionalmente per eventi e manifestazioni speciali, mentre Falconara offre l'occasione per un incredibile soggiorno in un ambiente decisamente suggestivo. Bordonaro monta però su tutte le furie se sente chiamare il suo castello un hotel; lo considera piuttosto una residenza estiva di famiglia che è disposto a dare in affitto integralmente, ma solo quando gli aggrada, anche se la prospettiva di una lunga lista di prenotazioni non sembra dispiacergli affatto. Questo senso spiccato della proprietà contribuisce a rendere autentico l'ambiente, a differenza di molte altre importanti proprietà siciliane rovinate da una inconsulta conversione in "grand hotel". Negli spazi comuni del Castello di Falconara non si affannano receptionist, camerieri, fattorini; nelle stanze non ci sono fax o sofisticati apparecchi telefonici ma solo arredi antichi fedeli alla natura aristocratica del castello, che conferiscono all'ambiente un fascino molto particolare.

indirizzo Castello di Falconara, Butera (Caltanissetta), Sicilia

t +39 (091) 328 082 **f** +39 (091) 589 206 **e** info@villachiaramontebordonaro.it

tariffe a partire da 1352 euro al giorno (per l'intero castello)

palazzo biscari

Sembra incredibile ma è la pura verità: il più piccolo hotel di Catania (se non d'Italia) si trova all'interno del più ampio e prestigioso palazzo della città. Con le sue innumerevoli stanze, Palazzo Biscari è di proporzioni tali da surclassare gli stravaganti standard a cui è abituata l'aristocrazia siciliana e gli interni, decorati con sfarzo principesco, superano qualsiasi sforzo d'immaginazione.

Quando la Regina Madre approdò in Sicilia sullo yacht reale Britannia, chiese espressamente di poter visitare il sontuoso palazzo barocco. Come mi raccontò il principe Ruggero Moncada, "in occasione della visita di sua Maestà, tutti lavorammo alacremente per tirare a lucido il palazzo, ma la regina concentrò la sua attenzione soprattutto sul salone delle feste e sulla boiserie dell'appartamento che fu della nonna del proprietario".

Che ci crediate o no, proprio quello stesso appartamento è oggi a disposizione degli ospiti paganti, se prenotato con largo anticipo: non che serva granché per allestire le camere, bisogna solo lasciare ai Moncada stessi, che vivono nel palazzo, il tempo di prepararsi. A ragion del vero, la nobile dimora non è per niente un hotel: è una proprietà famigliare su vastissima scala in cui abitano i discendenti dei Paternò Castello Biscari Moncada.

E a giudicare dall'incredibile schieramento di targhette montate sui citofoni in ottone a lato dei tre ingressi, il numero è decisamente cospicuo. La storia del palazzo è strettamente connessa a quella della Sicilia e alle vicende del nobile casato dei Paternò che lo fece erigere. Circola voce che il ceppo della famiglia risalga addirittura agli antichi romani. Fonti più certe testimoniano il legame della famiglia con la monarchia normanna che regnò dal X secolo. Fu proprio in quel periodo che la ricchezza dei Paternò e il relativo prestigio crebbero considerevolmente.

Nel 1579 un buon matrimonio portò in dote il baronato di Biscari, che il re di Napoli elevò a rango di principato nel 1647. Il primogenito acquisì così il titolo di principe Paternò Castello Biscari.

Il nuovo status sociale raggiunto richiedeva uno stile di vita adeguato e Ignazio III nel 1700 dette il via alla costruzione di un palazzo principesco, i cui lavori si protrassero per tutto il XVIII secolo. Lo straordinario salone delle feste affrescato fu completato poco prima della sua morte. Ma fu con Ignazio V, suo pronipote, che Palazzo Biscari raggiunse il massimo

splendore. Uomo eclettico, era anche un appassionato archeologo che promosse molti degli scavi nella zona e raccolse un gran numero di reperti tra cui marmi, colonne, mosaici e vasi. Parte della collezione è esposta nell'appartamento della nonna: la sala da pranzo è interamente a mosaico, con tessere di marmo che risalgono all'epoca romana. Con il passare degli anni gran parte della collezione è andata dispersa, ma l'ala che Ignazio Paternò fece costruire per ospitare i frutti della sua passione è ancora al suo posto ed esercita come un tempo, un fascino indicibile. Nel complesso il palazzo, con i suoi affreschi, i suoi stucchi, dorature e specchi è un raffinato esempio dell'architettura barocca, che non trova eguali in Sicilia e in tutta la penisola. Il fatto poi che questo gioiello si trovi a Catania, accresce ancora di più il suo fascino. Per anni la città è stata esclusa dai classici circuiti turistici, oscurata da Palermo, la più bella, la più amata, o da Siracusa, la "città ideale" in cui Platone sognò di ambientare il suo Stato perfetto, popolato da cittadini innamorati della virtù, o da Agrigento con la sua valle dei templi. Eppure Catania vanta un famoso teatro, il Bellini, un immenso convento dei benedettini, un bel palazzo dell'arcivescovado e la barocca via Crociferi fiancheggiata da palazzi e chiese di grande prestigio. Ma chi si reca in questa città non visita i suoi monumenti, se non di sfuggita: ciò che attrae milioni di visitatori è l'Etna che domina il paesaggio. Catania riposa sul suolo lavico di tre eruzioni preistoriche e di sei eruzioni storiche, la sua stessa pavimentazione è lavica e con pietra lavica è costruita anche gran parte dei suoi edifici.

La città deve la sua fama, la sua bellezza e la feracità prodigiosa dei dintorni all'Etna. Nessun'altra città, infatti, patì come questa l'ira degli uomini, dei terremoti e di un vulcano attivo, ma Catania è sempre risorta e oggi deve essere considerata una città moderna e operosa, che fa proprio ben sperare per il futuro della Sicilia.

indirizzo Palazzo Biscari, Via Museo Biscari 10–16, 95131 Catania, Sicilia

t +39 (095) 321 818 f +39 (095) 715 2508 e palazzobiscari@interfree.it

tariffe a partire da 800 euro

san domenico palace

"Se un amico di passaggio in Sicilia mi chiedesse cosa non perdere, risponderei senza esitazione: Taormina. È soltanto un paesaggio, ma un paesaggio in cui si trova tutto ciò che sembra creato sulla terra per sedurre gli occhi, la mente e la fantasia [...]": così scriveva nel 1885 Guy de Maupassant quando Taormina stava raggiungendo nel mondo l'apice della notorietà e con la sua bellezza cominciava a sedurre teste coronate, artisti, scrittori e scienziati. Quasi cent'anni prima un altro scrittore, Goethe, aveva visitato la città descrivendo il vulcano dell'Etna sullo sfondo, l'incantevole baia, il mare azzurro, le scogliere e gli infuocati tramonti. Nel 1833 fu la volta del teologo inglese John Henry Newman: "Ammirando il panorama di Taormina, mi sento più vicino al Paradiso. Per la prima volta nella mia vita capisco che se potessi vivere qui sarei un uomo migliore e più profondamente religioso". A giudicare dal libro degli ospiti del San Domenico Palace, il re Edoardo VII, il Kaiser Guglielmo II, il granduca Paolo di Russia, re Umberto di Savoia, e ancora Richard Strauss, Thomas Mann, John Steinbeck, Anatole France, Luigi Pirandello, Ava Gardner, Cary Grant e Audrey Hepburn devono aver provato le stesse forti emozioni.

Taormina tuttavia deve parte della sua notorietà all'estero a un giovane pittore prussiano, il barone Otto Geleng. Incantato dalla bellezza dei panorami taorminesi, li immortalò sulle tele e li espose a Parigi. Era un freddo inverno del 1863, i critici lo accusarono di non aver dipinto dal "vero" e di essere solo un manierista che si affidava a una fervida fantasia. Geleng, per dimostrare che quei paesaggi esistevano davvero, lanciò una sfida: "Venite in Sicilia", dichiarò con veemenza, "e se Taormina è diversa da come io l'ho dipinta, vi pagherò vitto e alloggio. Altrimenti voi vi impegnerete a scrivere sui giornali della sua bellezza." E di pagine ne furono scritte a fiumi, descrizioni che segnarono l'inizio della fortuna turistica di questo capolavoro della natura e della mano dell'uomo. Per accogliere i personaggi più prestigiosi d'Europa e d'America era però necessario un contesto che fosse tanto spettacolare quanto il patrimonio artistico e gli incantevoli scenari offerti dalla cittadina. Ed è per soddisfare questa precisa esigenza che entra in scena l'ex convento di San Domenico. Dubito che Taormina avrebbe potuto ospitare negli ultimi cent'anni un così illustre elenco di personalità senza ricorrere al lusinghiero

L'incantevole giardino gode
di una spettacolare vista sulla baia
e sul vulcano Etna

Per quanto di una semplicità
monastica, le stanze sono arredate con
mobili antichi e bei letti in ottone

Vasi di terracotta con bouganvillae
rallegrano i chiostri in cui risuonavano
anticamente le litanie dei monaci

Scorcio di un elegante portale di pietra in stile neoclassico: la Sicilia vanta un ricco patrimonio storico e artistico

Bouganvillae, palme, piante di limoni fiancheggiano i romantici vialetti del San Domenico Palace

Bombardato durante la Seconda Guerra Mondiale, l'edificio venne in seguito mirabilmente restaurato

contributo del San Domenico Palace.
Il silenzio, gli spazi contemplativi di questo convento con le sue spesse mura, i soffitti a volta, i chiostri racchiusi da incredibili colonnati esaltano la sua spettacolare posizione che domina dall'alto la dolce ondulata costa con le sue insenature, le sue grotte marine, le sue spiaggette, mentre all'orizzonte si staglia il cono dell'Etna con la sua cima spesso innevata. Il convento dei domenicani, trasformato in hotel nel 1896, è oggi uno degli alberghi più famosi e prestigiosi d'Italia. La sua origine e la sua storia sono piuttosto travagliate. Fu costruito nel 1430 come palazzo fortificato e poi fu trasformato in convento quando Damiano Rosso, discendente degli Altavilla e principe di Cerami, prese i voti e donò tutte le sue proprietà all'ordine dei domenicani. Dopo molti secoli, quando anche l'ultimo frate passò a miglior vita, fu acquisito dal comune di Taormina che in seguito lo rivendette ai principi di Cerami, eredi del religioso

benefattore. Furono proprio gli ultimi proprietari a trasformarlo in albergo agli inizi del Novecento, per accogliere i facoltosi turisti che visitavano la cittadina costiera. Rimase aperta al culto solo la chiesa dell'ex convento dedicata a Sant'Agata. I bombardamenti della Seconda Guerra Mondiale non risparmiarono neanche Taormina e la chiesa venne distrutta il 9 luglio 1943. Sui suoi ruderi fu in seguito costruita la sala congressi del San Domenico Palace, che reca ancora tracce degli altari. L'albergo, splendidamente ristrutturato, conserva intatta l'impronta conventuale, molti arredi monastici e uno stupendo chiostro cinquecentesco con sette archi per ogni lato che poggiano su 29 colonne. Circondato da un giardino di rara bellezza, dispone di 102 camere arredate con cassapanche antiche, anfore greco-romane, pregevoli quadri e dotate di tutti i confort moderni. L'alta gastronomia, il servizio impeccabile, l'atmosfera d'altri tempi lo rendono uno dei locali storici più amati al mondo.

---

indirizzo San Domenico Palace, Piazza San Domenico 5, 98039 Taormina, Sicilia

t +39 (0942) 61 31 11   **f** +39 (0942) 62 55 06   **e** san-domenico@thi.it

tariffe a partire da 274 euro

relais la suvera

Quando nel 1507 papa Giulio II ricevette in dono dalla repubblica senese l'ex fortezza medievale della Suvera, si propose di trasformarla in un vero e proprio palazzo. Chiamò a raccolta i migliori architetti, gli artisti e le maestranze impegnate nella costruzione di San Pietro, che insieme tramutarono l'antica rocca in una villa rinascimentale all'altezza del suo committente. L'architetto Baldassarre Peruzzi si occupò del portico su due livelli, della grande scalinata e degli affreschi sul soffitto che ancor oggi adornano l'edificio. Appollaiata su una collina che domina i fitti boschi e l'ondulata campagna senese, la Suvera offrì al papa l'occasione per esprimere la sua riconoscenza all'imperatore Massimiliano d'Asburgo. Quello stesso panorama, la storia del palazzo e la sua posizione incantarono centinaia d'anni dopo il marchese Giuseppe Ricci e sua moglie, la principessa Eleonora Massimo. Erano gli anni Sessanta e la coppia stava cercando una "piccola proprietà facile da mantenere". Quando videro la Suvera, capirono subito di averla trovata... per quanto la villa non possa proprio dirsi "piccola". Il palazzo beneficia di una posizione perfetta, non troppo lontano (ma ugualmente a debita distanza)

dalle maggiori città e dai principali monumenti toscani. Firenze è a meno di un'ora, Siena e San Gimignano sono raggiungibili in trenta minuti. Fino al 1989 la Suvera fu la casa di campagna dei marchesi Ricci. Quando però si resero necessari ingenti lavori di restauro, la coppia decise di trasformare la villa in un elegante hotel e ricavarne così un reddito per far fronte alle spese. A dire il vero, non tutta la residenza fu trasformata in albergo, perché i Ricci si ritagliarono un loro appartamento privato che frequentano ancor oggi durante i weekend e i periodi di vacanza. La presenza degli ospiti paganti non sembra disturbarli, anzi accettano con gioia il ruolo di padroni di casa tanto che la loro unica figlia, Elena, ha appena concluso una scuola alberghiera a Losanna e un istituto d'arte a Parigi. L'intenzione è di continuare l'ormai consolidata tradizione famigliare, nell'ottica di un'ospitalità di alto livello e di un gusto raffinato per il decoro. A detta del *National Geographic* "i curatori del Metropolitan Museum of Art farebbero carte false" per acquisire il contenuto delle suite storiche nella villa papale. E a ragion veduta: le camere, soprattutto quelle dislocate nell'ala principale, sono piene zeppe di pezzi d'inestimabile

Il belvedere della suite Papale, ornato da delicati affreschi rinascimentali, si affaccia sulle dolci colline senesi

La suite delle Maioliche accoglie l'imponente letto da campo di Ferdinando di Savoia, duca di Genova

All'interno della Suvera trovano spazio preziose testimonianze storiche tra cui mobili, arredi e pregevoli dipinti

La cappella, il vecchio frantoio delle olive e l'imponente palazzo sono disposti intorno al cortile centrale

Il pingue Papa Giulio II doveva faticare non poco per raggiungere i suoi appartamenti al piano superiore

L'antica rocca della Suvera, trasformata in palazzo da papa Giulio II, veglia sui colli senesi fin dal lontano Medioevo

Stanze e suite abbondano d'opere d'arte, arredi e oggetti che da secoli appartengono alla nobile famiglia Ricci

Preziose antichità ornano le stanze da bagno delle suite che sono tutte diverse tra loro

I giardini rinascimentali all'italiana corrono lungo le pendici della collina, creando luoghi e angoli appartati

Bianco e blu a profusione nella suite
dedicata al pittore Emilio Farina,
arredata con antichi mobili in noce

Ottocenteschi ricordi Biedermeier
nella splendida suite della marchesa
Rosalia Eustace Ricci

Dietro al cancello compare un'enorme
voliera che, invece degli uccelli, ospita
una fontana rinascimentale

Un antico arazzo cinese con scene
di matrimonio adorna la stanza
da letto della suite della Volpe

Dedicata a San Carlo Borromeo, la
chiesetta del palazzo risale al 1571
e non ha mai subito trasformazioni

Uno scorcio della loggia su due livelli,
opera del geniale architetto senese
Baldassarre Peruzzi

Marmi opulenti e travi a vista per la
stanza da bagno della suite Farina,
ricavata all'ultimo piano della casa

La fonte di pietra in stile barocco della
piscina, in origine una peschiera
progettata da Baldassarre Peruzzi

La residenza estiva dei marchesi Ricci
combina la severità medievale con la
fastosa *grandeur* rinascimentale

valore per quanto l'effetto generale non sia né soffocante, né affettato. Il marchese, un vero e proprio entusiasta di interior design, ne parla con modestia, spiegando che si tratta soltanto di "qualche mobile appartenuto alla famiglia". La trasformazione della villa in hotel ha comunque comportato qualche sacrificio e, per ultimare il progetto, la famiglia Ricci è stata costretta a vendere uno dei propri palazzi romani. Sotto le arcate dell'antico frantoio si servono gustose specialità toscane, annaffiate da vini della casa; dalla peschiera dislocata nel bel giardino all'italiana è stata ricavata la piscina; le vecchie scuderie e la fattoria sono state ristrutturate per ospitare 35 camere e suite. Nella proprietà si trovano ancora una chiesa cinquecentesca, una limonaia, vigneti e una gigantesca voliera, vuota però per ricordarci che gli uccelli devono essere tenuti liberi. Le suite ricavate nella villa seguono uno schema storico. La suite Papale è opulenta, piena di velluti rossi, porpora e gialli con un letto rinascimentale intagliato a quattro piazze.

Gli sposini preferiscono però la suite Maria Gabriella di Savoia, dedicata alla prima moglie del principe Camillo Vittorio Massimo. Il pezzo forte è un grande letto a baldacchino sormontato da una corona dorata, proprio sotto un lampadario in cristallo di Boemia e un'enorme specchiera barocca dorata. Vi sono poi la suite Maria Antonietta e la suite Napoleone, decorata con circa cento busti e statuette del celebre condottiero. Quella che io però preferisco è la suite delle Maioliche, uno spazio sontuoso di forma rettangolare con due porte-finestre che si aprono su un terrazzo affacciato sulle colline. La suite è dedicata al bisnonno della principessa, il primo duca di Genova, e vanta un bel kimono nuziale, ben conservato sottovetro, donato al nobile dall'ultima imperatrice cinese. Ma il capolavoro è rappresentato da un letto da campo che appartenne al duca, costruito su colonne di ferro verniciato e decorato con aquile reali e pigne. La Suvera è veramente un luogo di rarefatta bellezza.

---

indirizzo Relais la Suvera, Pievescola, 53030 Siena

t +39 (0577) 960 300 **f** +39 (0577) 960 220 **e** reservations@lasuvera.it

tariffe a partire da 232 euro

palazzo terranova

Se Sarah Townsend decidesse di scrivere un libro, non lo intitolerebbe certo *Un anno in Provenza*, bensì *Cinque anni di cantiere in Umbria*, oppure *Come trasformare un cubo di cemento sulla sommità di una collina in un palazzo con vista*. Nonostante l'edificio originario fosse segnato sulle vecchie mappe come un palazzo, ciò che vide l'intraprendente signora inglese nel 1989, mentre vagava sotto la pioggia in compagnia del marito Johnny, di palazzo aveva ben poco. La sua costruzione non era mai stata ultimata e, in passato, avrebbe potuto ospitare al massimo un gregge di pecore e qualche capra. Ma Sarah Townsend aveva le idee ben chiare ed era determinata a trasformare la villa in un luogo di sogno. Dal punto di vista architettonico, l'unico dato positivo era la posizione. Appollaiato su una collina a circa 500 metri di altezza, nel nord dell'Umbria non lontano dal confine con la Toscana, Palazzo Terranova sovrasta una valle incontaminata e offre uno spettacolare punto d'osservazione sulle dolci colline e i fitti boschi circostanti. Ma la residenza gode anche di un clima favorevole e di una pace a cui non siamo più abituati. In estate, un piacevole venticello rinfresca le serate e l'unico rumore che si percepisce

è il garrito delle rondini, un vero e proprio paradiso che invita al dolce far niente. Quando Sarah si apprestò a iniziare i lavori di restauro, gli unici elementi strutturali che valeva la pena conservare erano i soffitti a volta del pianterreno e parte dei muri maestri. Tutto il resto, comprese le finestre, le architravi, i pavimenti in cotto e i caminetti in pietra serena furono costruiti ex novo. La prima urgenza da risolvere era però l'apertura di una strada che consentisse l'accesso alla proprietà. I cultori dei luoghi appartati non si facciano prendere dal panico: invece di una grande e comoda via d'accesso i proprietari tracciarono una romanticissima carrareccia non asfaltata, perfettamente in sintonia con il paesaggio ma da percorrere con un'auto dotata di buone sospensioni. Rustico, remoto, immerso nella pace… eppure a mezz'ora da Perugia e a 45 minuti da Gubbio: l'hotel riassume tutte le qualità che hanno fatto di questa terra una regione a misura d'uomo. Ci troviamo in un luogo particolare, da vivere in tutte le stagioni. Si dice che l'Umbria ha un cuore verde, e non è solo uno slogan lanciato dalle agenzie per promuovere il turismo. Gole aspre, montagne e dolci colline, boschi selvaggi e fertili pianure, laghi limpidi come

il Trasimeno, cascate arditissime, sorgenti d'acque minerali e termali, ecco il suggestivo ambiente naturale che si offre a quanti decidono di visitare questa ridente regione d'Italia. Ma l'Umbria conserva anche mirabili opere d'arte e le sue città custodiscono nelle chiese, nelle pinacoteche e nelle piazze il mistero della civiltà etrusca, la perfezione delle architetture romane, il mistico raccoglimento delle chiese cristiane, la dolcezza dei dipinti rinascimentali. Sarah Townsend è riuscita ad armonizzare le qualità di questa regione con uno spiccato senso del design, eclettico ed originale, tipico delle migliori country house inglesi. Per arredare stanze e interni ha trascinato fino in cima alla collina antichi mobili di famiglia, casse di finissime porcellane, scatole di libri e soffici divani. Il risultato è sorprendentemente accattivante e, soprattutto, molto intimo e confortevole. La famiglia Townsend vi avvilupperà con il suo calore, facendovi sentire ospiti nel senso più autentico del termine. La signora Sarah si occupa della gestione dell'hotel, la figlia Honor sovrintende la cucina ed è lo chêf di casa, l'altra figlia Lulu è responsabile delle relazioni esterne. L'atmosfera è così cordiale che, nonostante la zona vanti la presenza di eccellenti ristoranti, pochi sono i clienti che decidono di cenare altrove. Palazzo Terranova dispone di cinque soggiorni, due piccole sale da pranzo con caminetto e una terrazza in cui gustare i piaceri della tavola godendosi uno splendido panorama. Otto sale comuni contro otto suite per gli ospiti, una proporzione piuttosto generosa, non c'è che dire!

Nel Settecento l'educazione dei nobili inglesi non poteva dirsi completa senza il Grand Tour, il viaggio che consentiva loro di immergersi nella storia dell'arte e nell'architettura italiane. All'epoca si acquistavano dipinti e arredi da riportare in patria, cercando di applicare il gusto appreso nel nostro paese. Sarah invece ha fatto esattamente il contrario, trapiantando nelle morbide colline umbre lo stile raffinato di una romantica casa di campagna inglese.

indirizzo Palazzo Terranova, Loc. Ronti, Morra, 06010 Perugia

t +39 (075) 857 0083 f +39 (075) 857 0014 e sarah@palazzoterranova.com

tariffe a partire da 346 euro

vecchio molino

L'Umbria è una terra in cui si incontrano mirabili opere d'arte, paesaggi naturali incontaminati, antichissime tradizioni e forti suggestioni. I grandi santi che nel passato hanno inneggiato all'amore per il creato, proclamando, con la loro vita esemplare, il ritorno a una fede semplice e vera hanno dato il via a una pacifica rivoluzione d'amore che ha modificato alle radici il pensiero religioso cattolico.

Il figlio prediletto di questa regione, san Francesco, nacque ad Assisi tra il dicembre 1181 e il settembre 1182 da un ricco mercante di stoffe e una nobildonna locale. Fino all'età di 25 anni visse nel lusso e nell'accidia, poi la sua vita cambiò radicalmente. Ricevuta in sogno la chiamata del Signore, rinunciò pubblicamente a tutto il suo patrimonio e scelse una vita di preghiera e di obbedienza alla "Sorella povertà".

Il 4 ottobre 1226 sentendosi vicino alla morte, dopo aver predicato, insieme a santa Chiara, un messaggio d'amore fino ai confini del mondo conosciuto, morì su un povero giaciglio alla Porziuncola, appena fuori Assisi. Il francescanesimo non solo rivoluzionò la fede cattolica, ma cambiò lo stesso tessuto urbano della regione. Sorsero ovunque monasteri e conventi e vennero costruite chiese e basiliche come massima espressione del grande fervore religioso che contrassegnò quel secolo e tutta la storia futura. Assisi divenne la meta del pellegrinaggio del mondo cristiano e la sua basilica eretta in onore del santo fu splendidamente affrescata da Giotto, Lorenzetti, Cimabue, Simone Martini.

La sacralità di un luogo di fede raggiunge una spontanea perfezione quando gli edifici religiosi si trovano immedesimati nella natura, proprio come lo sono le innumerevoli pievi, eremi, cappelle e conventi disseminati tra Assisi e Spoleto. Questi verdi colline conservano le immagini di un paesaggio antico. Gli uliveti, i filari delle viti, i piccoli borghi medievali che si guardano da un colle all'altro creano una profonda suggestione ambientale che da sempre ha affascinato il visitatore. A circa dieci chilometri a nord di Spoleto e a circa un'ora d'auto da Assisi, si trova un hotel molto particolare, ricavato in un antico mulino alimentato ad acqua. Il luogo è veramente di eccezionale bellezza: il mulino è costruito sulle diramazioni a forcella delle Fonti del Clitunno, un insieme di sorgenti che formano un laghetto tanto idilliaco da aver colpito nei secoli

Quest'antico mulino sorge nel cuore
dell'Umbria, una terra amata dai
grandi poeti del passato

Uno scorcio del focolare, preservato
nel tentativo di non alterare l'aspetto
del vecchio mulino quattrocentesco

Questa residenza d'epoca offre una
calda accoglienza e una squisita
ospitalità agli amanti dell'Umbria

Bianco a profusione e travi a vista nelle semplici stanze, alcune delle quali con vista sulle acque del Clitunno

Il mulino si alimentava con le acque delle fonti del Clitunno, lungo le cui rive sorge anche il rigoglioso giardino

L'antico magazzino dai soffitti a volta e con vista sul fiume è stato trasformato in un vasto salone per le conferenze

l'immaginazione di poeti quali Virgilio, Claudiano, Goethe, Byron e Carducci. Nelle sue acque freschissime e trasparenti si specchiano pioppi e salici piangenti e la quiete che regna è tale da fare di questo luogo un'oasi di rarefatta atmosfera. Ma la vera attrazione, letteralmente a due passi dall'hotel, è il Tempietto del Clitunno (oggi chiesa di San Salvatore), un edificio di origine paleocristiana del IV secolo costruito in stile classico a imitazione dei templi romani e per questo erroneamente considerato un luogo di culto pagano dedicato al dio fluviale Clitunno. La bellissima linea architettonica, che si ispira alla Basilica di San Salvatore a Spoleto, consiste di due livelli divisi esteriormente da una forte modanatura: al primo si accede dalla facciata tramite un portale, al secondo, che presenta un bel colonnato con sovrastante capitello, attraverso due porte laterali precedute da una scalinata e da un piccolo portico. Inserito in un contesto così ricco di suggestioni artistiche, paesaggistiche e culturali, l'hotel Vecchio Molino è il luogo ideale per immergersi nello "spirito" umbro. Gli interni sono sobri ma assolutamente gradevoli e i lavori di ristrutturazione sono stati compiuti nell'ottica di non alterare l'aspetto rustico del quattrocentesco mulino. Nell'antico magazzino che si affaccia sul fiume Clitunno è stato ricavato un ampio salone per le conferenze e il soffitto conserva ancora l'originale struttura a volta. In piena estate, quando la temperatura raggiunge punte elevate (le camere sono comunque tutte climatizzate) questa bella residenza d'epoca serba per i suoi ospiti una gradita sorpresa: un giardino incantevole. Di taglio triangolare è fiancheggiato dalle sorgenti del Clitunno che si biforcano all'altezza del mulino per ricongiungersi nell'angolo superiore del giardino stesso. Questa verde oasi, con i suoi giganteschi salici piangenti e le fonti zampillanti d'acqua è un luogo unico in cui si perde la cognizione del tempo e ci si sente vicino ai poeti e ai grandi santi della storia.

---

indirizzo Vecchio Molino, Via del Tempio 34, 06042 Campello sul Clitunno, Spoleto

t +39 (0743) 521 122   **f** +39 (0743) 275 097   **e** molino@bcsnet.it

tariffe a partire da 73 euro

ca' pisani hotel

È difficile immaginare che esista, su questa terra, una città capace di rimanere inalterata nel tempo al pari di Venezia. Ma se le facciate, le chiese, i ponti, le gondole e gli archi bizantini esteriormente sono sempre quelli della repubblica marinara di un tempo, all'interno la città si sta sforzando di tenere il passo con il mondo moderno. Stranamente, però, gli hotel sembrano più riluttanti ad affrancarsi dalla tradizione. Soggiornare in un sontuoso albergo ricavato in un palazzo arredato con pezzi d'antiquariato autentici, sete preziose, marmi, lampadari in vetro di Murano, mobili mirabilmente intarsiati e specchiere finemente decorate in oro sarebbe indubbiamente il non plus ultra; purtroppo però non tutte le strutture cittadine possono assicurare standard elevati di eleganza e raffinatezza. A dire il vero, gran parte degli hotel veneziani offre un mediocre potpourri di imitazioni scadenti, lampadari di dubbia qualità e tessuti chiassosi. Del resto, basta dare uno sguardo alle vetrine dei negozi d'antiquariato del centro storico per rendersi conto di quanto sarebbe oneroso arredare un intero palazzo con pezzi autentici. La famiglia Serandrei, proprietaria da quattro generazioni dell'hotel Saturnia & International, ha scelto di allestire il suo secondo albergo veneziano con uno stile moderno, offrendo agli ospiti la possibilità di un soggiorno diverso. Il nome viene dal palazzo stesso (Pisani Molfetta) che, per coincidenza, è anche quello del celebre ammiraglio Vettor Pisani. Esternamente, Ca' Pisani è fedele agli schemi architettonici classici della città lagunare: si tratta di una piccola casa trecentesca modificata, alla fine del XVI secolo, mediante l'aggiunta di un balcone in pietra all'altezza del piano nobile. L'edificio, disposto in modo simmetrico, è ornato da archi ogivali orientaleggianti e da un rinzaffo in terracotta (molto diffuso nell'Italia settentrionale). All'interno, invece, gli unici elementi che lo contraddistinguono come palazzo veneziano sono le travi dipinte sugli altissimi soffitti e il lungo, elegante corridoio del piano nobile. Per il resto, il designer ha scelto di rompere con la tradizione optando per sedie "Brno" di Mies van der Rohe in acciaio e pelle nera, mobili creati da Charles Rennie Mackintosh e oggetti viennesi d'inizio Novecento; nell'ingresso, in luogo dei classici lampadari in vetro di Murano sono state installate moderne lampade industriali e le stanze da bagno sono un esempio eloquente della più avanzata

Disegni optical, metallo cromato
e pelle nera: lo stile di Ca' Pisani è
anticonvenzionale e moderno

Marmi, graniti e vigorosi getti d'acqua
nei bagni, progettati all'insegna della
più moderna tecnologia

Lino freschissimo per la raffinata
biancheria da letto, ennesima prova
di maestria dell'artigianato locale

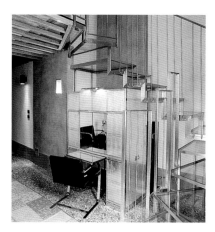

La scala in vetro della suite duplex
conduce a una stanza sotto il tetto,
tanto romantica quanto inusuale

Ca' Pisani sorge in pieno centro
storico, a due passi dal Canal Grande
e dal Ponte dell'Accademia

Particolare dell'atrio centrale al piano
nobile, che evidenzia la tipica
struttura della dimora storica

tecnologia. Le 29 camere dell'hotel sono arredate con mobili contemporanei firmati da Roberto Luigi Canovaro, tra i quali un'armoire in foglia d'argento (che ospita al suo interno minibar, televisore e scrittoio) e una panca in acciaio e pelle nera. La presenza di una poltrona color arancio acceso in ogni stanza e la splendida collezione di letti in noce impellicciato scovati in ogni angolo della penisola tradiscono un certo gusto per l'Art Deco anni Venti e Trenta. La forte linearità delle forme all'interno delle camere, in cui interagiscono colori che vanno dal senape chiaro al terracotta passando per il beige, il bianco e il grigio, evocano Mondrian e il movimento "De Stjil". Se gli interni di Ca' Pisani suggeriscono una sensazione di modernità, gli ingredienti di base dell'hotel restano autenticamente locali, come i pavimenti in palladiana e le pareti decorate in stucco veneziano. In una città così ricca di tradizioni, del resto, non mancano esempi di grande audacia creativa. Il poliedrico artista spagnolo Mariano Fortuny, per esempio, contribuì significativamente alla storia del design reinterpretando l'orientalismo veneziano, tanto che i suoi famosi abiti in seta plissettata vengono ancora confezionati dal Venetia Studium e le sue celebri lampade sono state recentemente riportate in auge dall'azienda Ecart International di Andrée Putman. Quanto all'architettura del dopoguerra, pochi sono gli artisti che hanno eguagliato l'inventiva di Carlo Scarpa e la sua capacità di combinare i principali elementi bizantini di Venezia creando una nuova forma di espressione moderna. Per quanto riguarda l'ubicazione, Ca' Pisani è l'indirizzo giusto per vivere un'esperienza indimenticabile: gode di una posizione eccellente, appena oltre il ponte dell'Accademia. Si tratta di una zona molto tranquilla, a due passi dal Canal Grande, dalla Fondazione Peggy Guggenheim e da piazza San Marco, ma a distanza di sicurezza dalle orde di turisti che, soprattutto in estate, invadono questa città unica al mondo.

---

indirizzo Ca' Pisani Hotel, Dorsoduro 979/a, 30123 Venezia

t +39 (041) 240 1411   **f** +39 (041) 277 1061   **e** info@capisanihotel.it

tariffe a partire da 198 euro

palazzo vendramin

Che bisogno avevano, nel 1956, le due nobili sorelle Guinness, di aprire un altro grand hotel a Venezia? Grandi alberghi a quell'epoca, non mancavano di certo in città. Ma per quanto incantevole e stimolante dal punto di vista culturale, Venezia alle volte può essere piuttosto soffocante, soprattutto in estate.
È vero, ci sono le spiagge del Lido, ma sono distanti e frequentate soprattutto di giorno, mentre il bisogno di spazio e refrigerio si fa sentire maggiormente durante la notte. Anni addietro, inoltre, le case non erano climatizzate e nelle afose giornate d'agosto l'acqua dei canali tendeva a ristagnare, ammorbando l'aria.
Alla base del progetto, dunque, c'era l'idea di un rifugio elegante e tranquillo lontano dal centro, intorno al quale creare un vero e proprio giardino. Cipriani possedeva già il luogo ideale: un appezzamento di terreno vicino a un cantiere in disuso, sull'isola della Giudecca, proprio di fronte a piazza San Marco. Fu il conte Iveagh II che, nel 1953, dopo aver visitato il posto, aderì per primo all'iniziativa di Cipriani; non ci volle molto per convincere anche le sue due figlie (Patricia Boyd, Lady Honor Svejdar e Lady Brigid Ness) a unirsi al progetto. Sull'isola c'era

spazio sufficiente per un parco privato (un lusso inaudito a Venezia) e una piscina lunga ben 36 metri, che fu costruita qualche anno più tardi. Dal giorno dell'inaugurazione, nel registro clienti dell'hotel Cipriani si sono avvicendati nomi illustri. Del resto, si tratta di un albergo lussuoso che sorge in una delle località più romantiche del mondo, come poteva essere altrimenti?
Oggi, il Cipriani è ancora sulla cresta dell'onda e continua ad attirare celebrità da tutto il mondo. Tuttavia, con l'avvento dell'aria condizionata e di un'attenta campagna per la pulizia dei canali, i clienti non si dirigono più alla Giudecca per sfuggire alla canicola e ai miasmi che affliggono il centro storico, ma per lasciarsi alle spalle le orde di turisti.
Il problema di Venezia, vi diranno infatti i locali, non sono i veneziani, bensì i gitanti giornalieri: arrivano via acqua – su traghetti stracarichi o navi da crociera grandi quanto condomini – oppure via terra, spendono poco o nulla e se ne vanno frettolosamente al termine della giornata, abbandonando rifiuti nei canali e gomme americane spiaccicate sulle antiche pavimentazioni in pietra delle bellissime piazze.
A dispetto del buon nome e della fama di cui

gode il Cipriani, tuttavia, la mia prima visita mi entusiasmò meno di quanto mi aspettassi. Certo, è molto bello essere prelevati all'aeroporto Marco Polo da uno dei luccicanti motoscafi in mogano dell'albergo, e la piscina è davvero grande. La mia stanza, però, mi deluse un poco: invece di archi bizantini, tessuti orientali, mobili laminati in oro e arazzi persiani mi accolsero, infatti, un tappeto color cioccolato e una grande vasca da bagno dietro un divisorio in vetro. Che ne era dell'autentico stile veneziano? Diciamo le cose come stanno: in quanto a stile, l'hotel Cipriani ha sempre puntato più sul comfort e sull'eccellenza del servizio che sulla stravaganza, ma da quando la gestione è passata nelle mani della catena Orient Express, anch'esso soffre dello "sfarzo globalizzato" ormai imperante nei grandi alberghi di tutto il mondo, che va un po' a scapito dell'unicità del luogo.

Non mi bastava fare colazione in un bellissimo parco affacciato sulla laguna e prendere il sole in piscina… volevo lo splendido isolamento, l'architettura tipica, i pezzi d'antiquariato e il buon gusto da sempre associati a Venezia. Ebbene, qualcuno deve avermi letto nel pensiero perché Palazzo Vendramin combina la privacy e lo stile di una residenza privata a un servizio esclusivo. Si tratta di un grande e lussuoso palazzo del XV secolo collegato all'hotel Cipriani mediante il fiorito Giardino Casanova. Un maggiordomo personale è a vostra disposizione per soddisfare qualunque capriccio. Rivestite con pannelli color crema e illuminate da preziose lampade Fortuny in seta, le eleganti stanze sono diverse per forma e dimensioni e si sposano perfettamente con l'incantevole vista di cui si gode attraverso le finestre ad arco bizantino. Dinanzi a un tale spettacolo, degno del miglior dipinto del Canaletto, non si può non rimanere estasiati. Lo stile di Palazzo Vendramin rasenta la perfezione ma l'eccellenza, si sa, costa parecchio. Ebbene, concedetevi anche una sola notte in una di queste suite da sogno e vi assicuro che non rimpiangerete la spesa.

---

indirizzo Palazzo Vendramin, Giudecca 10, 30133 Venezia

t +39 (041) 520 7744   **f** +39 (041) 520 3930   **e** info@hotelcipriani.it

tariffe a partire da 853 euro

Edizione originale
Thames & Hudson Ltd., London, 2002

Traduzione
Maria Teresa Badalucco, Valentina Besi

Realizzazione editoriale
Mimesi S.a.S.

Edizione italiana
Editoriale Domus S.p.A, 2002

Progetto grafico
Maggi Smith

Stampa
C.S. Graphics Pte. Ltd.
Singapore

© 2002, Herbert Ypma

Editoriale Domus S.p.A.
Via G. Mazzocchi 1/3
20089 Rozzano (Milano)
REA 1186124
e-mail: editorialedomus@edidomus.it
http://www.edidomus.it

Referenze iconografiche e ringraziamenti
Foto di Herbert Ypma, a eccezione di:
Il Gattopardo e Hôtel de la Poste, fornite dai rispettivi hotel.

Alla minirana e al suo stagno.